COLLECTION FOLIO

Raphaël Haroche

Retourner
à la mer

Gallimard

Auteur-compositeur-interprète, Raphaël Haroche est né à Paris en 1975. *Retourner à la mer*, son premier livre, a reçu le prix Goncourt de la nouvelle en 2017.

À mes parents

YURI

— Tu l'as vu le film d'hier à la télé ?

— Je crois pas, c'était quoi ?

Tomek finissait de préparer une bouteille d'air comprimé et Lazlo le regardait faire, accoudé à une rambarde, il mâchouillait son chewing-gum doucement.

— C'était avec cette actrice américaine, tu sais celle qui est jolie.

— Je vois pas, ça racontait quoi ?

— Il y avait un mec qui avait inventé une super drogue avec des pilules bleues et l'Américaine elle en avale plein alors elle contrôle le monde et le temps.

— Ah ouais ? Je crois pas que j'aie vu ça. Au fait tu vas rentrer au pays cet été ?

— Pas cet été, je dois mettre du fric de côté.

— Moi je pars un mois.

— T'as du bol, tu prends le van ?

— Ouais je vais pas prendre un jet privé.

— C'est clair, ça risque pas.
— C'est clair.

Tomek et Lazlo firent le tour de la barrière et se rendirent dans la cour pour attendre le convoi.
— Ils ont ramené des tests?
— Non, la fille du centre vétérinaire c'est une connasse, elle en ramène jamais.
— Ouais mais elle fait bander.
— Ouais, c'est vrai qu'elle fait bander, on va à Sainte-Ge demain?
— Pourquoi?
— Pour l'aligot géant et la tombola, il y a une cuisinière à gagner.
— Pourquoi pas? J'ai rien de prévu.
— Et tu vas à l'église ce dimanche?
— Non, mais s'il fait beau, on ira au lac avec les enfants.

Ils virent au loin un lourd camion blanc qui approchait, petit point pâle au milieu du vert étincelant et humide des collines.

Il prenait un virage large puis lentement la longue ligne droite qui amenait au centre vétérinaire.

Au-delà, des nuages de brume s'accrochaient aux montagnes de l'Aubrac.

—Y en a combien aujourd'hui?

Tomek baissa les yeux vers un bordereau bleu qu'il tenait à la main. Ce qui devait être un rapide coup d'œil s'éternisa, il plissa le front.

— Dans les deux cents.

— Merde ça recommence, ils vont nous casser la tête, mets tes gants.

Juste à côté du centre, le travail des débiteuses à bois avait repris, une petite grue avec des lames de rasoir géantes et des pinces saisissait des arbres entiers, leur arrachait les branches et l'écorce comme un économe de cuisine, puis les coupait en rondins.

Tomek dit en hurlant pour couvrir le bruit :

— T'imagines si tu coinces un type là-dedans? Quel enfer !

— Purée, ouais ça serait carrément moche d'avoir à le ramasser.

— Ouais carrément moche.

— À l'éponge qu'il faudrait le faire.

— Quel bordel !

Le camion venait de s'arrêter, Tomek et Lazlo placèrent la passerelle et les barrières et ouvrirent la porte coulissante, aussitôt les vaches se ruèrent entre les barrières.

On sentait la peur faire tressaillir leurs muscles.

Comment pouvaient-elles avoir la moindre idée de ce qui les attendait? Aucune vache n'était jamais sortie vivante d'un abattoir pour raconter à ses semblables le sens de leurs vies et ce à quoi elles étaient destinées.

Peut-être avaient-elles l'espoir qu'on les déplace simplement dans un nouveau pâturage de montagne aussi beau que le précédent, ou peut-être ne se disaient-elles rien du tout, elles avançaient sans réfléchir à rien jusqu'à la mort par air comprimé.

Elles étaient grasses et luisantes, leurs paupières lourdes semblaient maquillées et soulignées de noir.

— Regarde-moi ces beautés! dit Lazlo.

Tomek se contenta d'un sourire vague en guise de réponse.

Dans le troupeau, il y avait un petit veau particulièrement attachant qui regardait partout autour de lui, d'un œil plein de bonté, il était enthousiaste et faisait la fête à toutes les vaches qu'il croisait en remuant la queue et en leur léchant le visage.

— Regarde celui-là, il se croit à une fête de famille!

— Je l'offrirais bien à ma fille pour son anniversaire la semaine prochaine.

— T'as qu'à demander à Vadek?

— Ouais, son regard me fait penser à quelqu'un, pas toi?

— Je sais pas.

— Ce serait pas à Jean-Yves?

— Je sais pas, il a quoi de spécial le regard à Jean-Yves?

— Rien, je sais pas, mais il me fait penser à quelqu'un, mets-le de côté pour l'instant OK?

— Tiens, voilà cette cochonne de vétérinaire.

Lazlo éclata de rire alors qu'une solide jeune femme aux cheveux blonds s'approchait d'eux.

— Salut les gars, vous avez le DAB?

— Salut Sandrine, tu veux boire un verre avec moi ce soir?

Lazlo lui tendit un document.

— Merci, vous avez vérifié la concordance avec l'IPG?

— Ouais c'est bon.

— Les certificats de non-vêlage sont OK?

— Tout est OK Sandrine, c'est comme dans un rêve.

— Parfait, ce sera une autre fois pour le verre mais merci, bon courage les gars et bon week-end.

— Salut Sandrine.

La jeune vétérinaire tourna les talons et Tomek et Lazlo regardèrent en souriant ses larges fesses disparaître au coin du bâtiment.

Lazlo s'était mis en sécurité en dehors du couloir et accompagnait les animaux vers Tomek qui attendait derrière la porte plastifiée avec le pistolet d'abattage. Tomek plaça tranquillement le pistolet sur le front de la première vache du troupeau et appuya, cela fit un petit bruit d'air comprimé, pareil à celui d'un bouchon qu'on fait sauter, la vache fut prise de spasmes et remua ses pattes désespérément comme si elle tombait d'un avion en vol.

Lazlo était juste à côté et mettait en place le tapis de suspension.

— Le gars qui s'occupe de la démédullation.

— Quoi ça?

— Celui des carcasses.

— Ouais et puis quoi?

— Ben je crois bien qu'il est du même village que Tadek, il lui fait de la lèche du matin au soir.

— Lécheur de fions.

— C'est écœurant.

— Ouais.

Tomek continuait à insensibiliser les vaches les unes après les autres en discutant avec Lazlo qui les récupérait pour la suspension et le vidage.

Au loin, une prière résonnait dans les halls, une mélodie désespérée dans une langue qu'ils ne connaissaient pas.

— C'est vendredi aujourd'hui?

— Ouais, c'est ça, les rabbins et les imams viennent nous faire chier.

— J'peux pas les saquer ceux-là, ce qu'ils font à ces pauvres animaux.

— Ouais, c'est des barbares, et c'est nous qui devons nettoyer leur merde à chaque fois.

—Tu m'étonnes.

Vers 16 h 30 ils avaient presque fini de traiter les pièces prévues, la sonnerie retentit dans tout le hall, l'heure pour ceux du matin de rentrer chez eux.

Seul le petit veau attendait de l'autre côté de la bâche en plastique.

Tomek vint le voir et le petit veau lui lécha la main en le regardant avec des yeux d'une douceur inquiète.

Il lui passa une longe et l'emmena.

—Toi tu me fais penser à quelqu'un!

Lazlo fit un signe à Tomek.

— Bon week-end.

— Peut-être à dimanche au lac ou à Sainte-Geneviève?

— Peut-être.

Tomek passa devant les stands de saignée où une cinquantaine de bêtes encore agitées de spasmes se vidaient de leur sang dans des cuves visqueuses. Leurs yeux étaient noirs comme ceux des mouches et tournaient dans leurs orbites comme des satellites affolés.

Plus loin un opérateur coupait les pattes d'une bête qui commençait à se réveiller sous l'effet de la douleur, cela arrivait parfois, malgré les précautions. Il crut reconnaître Vadek sous son masque et s'approcha mais c'était Jean-Valère qui retirait le foie et la vessie d'une vache avec une pique.

Il se demanda comment il avait pu confondre un Antillais avec un Polonais…

Il s'arrêta devant les traceurs de cuir qui arrachaient la peau d'un veau avec une cisaille.

Tomek traînait toujours avec lui le petit veau tiré par sa longe qui regardait tout cela de l'air effrayé de celui qui découvre l'existence des ténèbres absolues qui nous entourent.

— Tu sais où est Vadek? Je voudrais garder ce veau pour ma fille, j'ai besoin qu'il le fasse sortir de l'IPG sur l'ordi, tu crois qu'il sera d'accord?

— Faut signer le bon.

— C'est son anniversaire lundi.

— Elle a quel âge?

— Treize ans.

— C'est bien, mais faut que tu le rachètes.

— Ouais c'est clair, ils vont se prendre une marge les salauds.

— Vadek est déjà parti en week-end, faudra voir avec lui lundi.

— OK, on verra lundi alors.

— Tu vas à l'église dimanche?

— Non, mais s'il fait beau j'irai au lac.

— OK, on se voit peut-être au lac alors.

Tomek continua sa traversée du bâtiment avec le petit veau qui tremblait de tout son corps, tous les employés étaient en train de quitter le grand hall.

Il s'arrêta devant la salle de la fente à demi où l'on découpait les carcasses avant l'incinération, la scie était arrêtée et il attacha le petit veau à une chaise qui se trouvait là. Il fit une demi-clé avec la longe pour être sûr que le veau ne s'échappe pas.

— Voilà tu seras bien ici, tu es trop joli, tu as des beaux yeux toi, tu me fais penser à quelqu'un.

Il caressa doucement la tête du veau qui tremblait comme une feuille.

— N'aie pas peur petit cœur, tout va bien, il ne t'arrivera rien, je te laisse là pour le week-end et dans deux jours, je viens te rechercher et tu iras chez moi, tu verras c'est petit mais c'est joli chez moi, il y a un petit potager et ma fille est très douce et gentille.

Il alla chercher de l'eau et du lait qu'il versa dans deux grandes écuelles à portée de longe mais le veau n'avait pas d'appétit et ne s'approcha même pas pour renifler. Tomek éteignit la lumière et ferma la porte du bâtiment B.

Il traversa le parvis, l'incinérateur était à l'arrêt, la chambre où l'on gazait les porcs en cent vingt secondes était silencieuse, la débiteuse à bois du terrain d'en face était silencieuse aussi, on aurait dit qu'ils étaient tous partis sur la Lune.

Sa voiture était une des dernières sur le parking, c'est fou comme soixante types arrivaient à se volatiliser en trois minutes dès qu'il s'agissait d'aller boire un coup.

Tout disparaissait si vite, les hommes et les bêtes.

Il savait bien qu'il les trouverait tous au Café des Abattoirs en train de boire de la bière et de la liqueur de gentiane, qu'ils mélangeaient dans leur bouche en hurlant des insanités, fous de joie d'être en week-end, qu'ils se saouleraient à mort ce soir pour effacer de leurs rétines ce qu'ils avaient vu et passeraient tout le week-end à cuver devant la télé.

Il se gara devant le café, qui avait changé de nom l'année dernière et s'appelait maintenant Chez Pierrot.

Au loin il vit les bouleaux et les sureaux noirs

qui pliaient sous le vent, les loups étaient en train de revenir dans le massif, on avait trouvé les traces de plusieurs mâles l'hiver dernier, ça c'était une bonne nouvelle.

Il sortit de sa voiture et s'arrêta devant la porte, il n'avait pas envie de parler aux autres, pas envie d'entendre des rodomontades, des vantardises sexuelles et des menaces, il avait juste envie de se laver de tout ce sang et de serrer sa femme et sa fille dans ses bras.

Il roula doucement pour économiser un peu de pétrole, ému devant la beauté du paysage, il n'y avait aucun endroit aussi beau que ça en Pologne, il n'y avait rien en Pologne que de la terre gelée et des hommes aux cœurs noircis par la vie.

Des buses planaient au-dessus de lui, elles ne pouvaient sentir l'odeur de la mort qui l'imprégnait, comme le petit veau ne pouvait voir la noirceur de son cœur.

Il arriva chez lui, sa femme l'attendait, en préparant un bon petit repas chaud.

— Je m'attendais pas à te voir si tôt, t'as pas été boire un coup avec les copains?

— Tu me manquais.

Elle l'embrassa sur la bouche, il alla ouvrir une bouteille de vin, le bruit du bouchon qui sautait lui fit un effet désagréable mais il ne sut pas bien pourquoi. Il servit deux grands verres, qu'ils burent sans rien dire, d'un trait.

— Il est pas mal non?

— Ouais, il est parfait.

Sa femme était assise sur la table, il la trouva belle, il trouva que son regard était émouvant, il se dit que peut-être c'était à elle que le petit veau ressemblait.

— Où est Julie?

— Chez Marion, elle rentre dans une demi-heure.

— Mmmh…

— J'ai envie de toi, fais-moi l'amour.

— Maintenant?

— Oui là tout de suite, en vitesse, fais-moi l'amour s'il te plaît, viens.

Il s'approcha d'elle et posa sa main sur son sexe, il pouvait sentir la chaleur et l'humanité du monde entier à travers l'épais tissu en jean.

Il baissa son pantalon et la renversa sur la table.

Il sortit son sexe et commença à la pénétrer.

Il regardait sa queue bien dure aller et venir en elle.

— Regarde-moi dans les yeux, lui dit-elle, cette fois regarde-moi dans les yeux.

Il la regardait droit dans les yeux pendant qu'il lui soulevait doucement les fesses pour aller plus profondément en elle.

Il savait maintenant à qui le regard de ce petit veau lui faisait penser, ce n'était pas à sa femme, ce n'était pas à Jean-Yves non plus, non, c'était autre chose, le petit veau lui faisait penser à Yuri, c'était le même regard que Yuri son premier chien, il en était sûr maintenant, c'était un bâtard à poil gris, moitié braque de Weimar, un regard délavé et un peu stupide, toujours partant et toujours entreprenant, il grimpait comme un étalon sur toutes les chiennes du village, il était le père de la moitié des chiots du coin.

Un jour il vit Yuri grimper Elsa la chienne du bûcheron. Le bûcheron arriva par-derrière et l'attrapa par le col, il l'emmena derrière la grange, lui coinça la tête sous son genou, prit deux briques et lui écrasa les testicules. Cela fit un bruit sec, comme deux noix qu'on écrase dans sa main l'une contre l'autre, la pauvre bête hurla de surprise et de douleur et courut se cacher en gémissant.

Alors que sa femme s'abandonnait, soupirant de plus en plus fort, Tomek sentit que ses forces diminuaient et qu'il mollissait inexorablement, peut-être était-ce à cause de Yuri ou à cause de la pensée du petit veau resté seul pour le week-end

avec son troupeau fantôme dans le grand hall
du bâtiment B ou simplement la fatigue d'une
grosse semaine de travail.

L'HOMME DES SABLES

Elle n'a plus tout à fait l'âge pour danser dans ce club, chaque fois que je la vois maquiller ses cicatrices avant de partir travailler j'ai une peine immense. Elle applique un petit bâtonnet marron clair sur les boursouflures de son ventre comme si elle posait le vernis d'un tableau, avec patience, en respirant doucement. J'ai peur qu'elle surprenne mon regard dans le miroir, j'ai envie de me cacher sous une couverture, de ne pas voir ça, et puis de lui éviter le regard des gens du club, des hommes, des femmes qui la montrent du doigt et qui se moquent.

On croirait ce genre d'endroit réservé aux bourgeois, pourtant il y a de tout, et je les sais qui rient des coutures de ses jambes et de son ventre, de ses seins mal refaits qui s'affaissent comme des dunes mouillées sous la pluie, et j'ai honte pour moi qui laisse faire cela, et je maudis l'espèce humaine.

Je viens du désert, je suis un Berbère, une sorte d'Arabe pour les gens d'ici, les Arabes je les connais j'ai grandi avec eux, avec les chacals aussi.

J'ai vu des corps pourrir au milieu des rues poussiéreuses, des hommes qu'on laissait là au vent et au sable.

Parfois lorsque je vois les clients du club, je me dis que j'ai tant de force que je pourrais écraser leurs têtes l'une contre l'autre comme des œufs, avec une main, que je pourrais faire jaillir par leurs yeux le liquide noir qui dort dans leur boîte crânienne, comme des nappes de pétrole souterraines.

Je rentre comme tous les jours du supermarché à dix-huit heures, il y a cette enfant qui hurle dans la pièce d'à côté, le mur qui nous sépare est mince comme une feuille d'arbre, je crois qu'elle est débile, elle hurle sans arrêt. Toute la journée, je surveille les caissières, je vérifie qu'elles ne glissent pas des produits non scannés dans leurs sacs. Qu'elles n'utilisent pas les bons de réduction réservés à la clientèle.

J'aide les clients à mettre leurs courses dans des sacs pendant huit heures.

J'enlève ce costume ridicule qui comprime mes muscles, je fais une heure de sport en écoutant cette enfant attardée qui hurle et plus loin le chant des automobiles, les bruits de la ville.

Un jour ils mordront tous la poussière et puis un jour tous les morts du monde se relèveront de la poussière et ce sera un drôle de spectacle à voir.

Aujourd'hui j'ai soulevé cent trente développés couchés. Ce n'est pas tant pour moi, il m'est arrivé de faire beaucoup plus. Pendant vingt minutes je cogne le sac, qui se déforme comme une bagnole accidentée sous mes coups, je sens mes phalanges engourdies par les fractures à répétition, plus de sensation, juste des picotements.

Un soir j'ai frappé si fort que le sac s'est ouvert, d'un seul coup, éventré, je m'attendais à voir du sang couler, ou au moins du sable, rien n'a coulé, juste des morceaux de papier journal froissés, les uns sur les autres.

Je n'aurais pas dû frapper si fort, il ne faudrait pas savoir ce qu'il y a à l'intérieur des choses.

J'ai été chercher du fil et je l'ai recousu, patiemment.

Je prends du Megabase, c'est une sorte de protéine que je mélange avec de l'eau et du blanc d'œuf dans un shaker en plastique, j'ai toujours ce shaker en plastique avec moi. Je pourrais broyer leurs visages comme des œufs, avec une seule main, puis je me lave, lorsque je sors de la douche, je la vois encore qui se prépare, et qui maquille ses cicatrices, des coutures qui ne font que grandir, plus denses plus profondes chaque jour, je me demande si elle s'en rend seulement compte, que son combat est perdu d'avance? Son maquillage déposé en croûte épaisse ne fait qu'accentuer le relief de cette énorme balafre qui lui déchire le ventre, comme si elle avait été coupée en deux par une hélice de bateau et recousue par des amateurs à la va-vite. Je me demande pourquoi ils la gardent au club? Pourquoi exhiber un monstre rapiécé aux clients ivres? Pour qu'ils se sentent satisfaits de ce qu'ils ont dans leur lit en rentrant chez eux le soir?

Nous montons dans le bus, nous ne nous parlons pas, je la dépose au club et je la regarde disparaître derrière la porte avec son petit sac de sport dans lequel elle a ses vêtements de travail. Elle a épaissi et j'ai de la peine à reconnaître cette petite silhouette hommasse qui passe la porte vitrée.

Je file au parc expo pour le concert, je prends mes bouchons et mes Doc dans mon casier, je demande le programme, et je vais attendre dans le crash-barrier.

Nous sommes six ce soir, Farid est le seul que je connaisse, tous grands et sombres comme moi, nous ressemblons à des sentinelles dans le désert, des sentinelles bourrées de protéines et de stéroïdes.

Les premiers arrivent en courant, dévalant

la dalle de béton géante en hurlant, cheveux
verts, rouges, hirsutes ou rasés, colorés, on dirait
des dragons de carnaval, de loin ils pourraient
presque me faire peur. Lorsqu'ils se rapprochent,
ils apparaissent tels qu'ils sont, minuscules et
apeurés, ils portent des bouteilles d'eau, des sacs
à dos, des portions de frites, toutes sortes d'aliments et de choses misérables qu'ils ont cachés
comme ils pouvaient. On a du mal à distinguer
les garçons des filles, ils ont l'air rincés, essorés
par la vie, pourtant ils sont jeunes pour la plupart. On dirait qu'ils s'apprêtent à rencontrer
une sorte de divinité primitive, participer à une
cérémonie qui va leur enseigner le sens caché de
la vie.

Et puis le reste de la foule arrive par grappes,
mollement, chacun essaie de rester digne mais
ils ont déjà atteint un état d'excitation tel qu'ils
pourraient faire n'importe quoi, réduire n'importe qui en miettes. Chacun essaie de garder un
espace vital le plus longtemps possible, mais tôt
ou tard les peaux se touchent, la tension monte,
ceux du fond poussent pour avoir des bribes de
vision. Ce soir c'est un groupe de rock améri-
cain qui monte sur scène, ils sont très célèbres
paraît-il, ils sont tous longs et roses et le chanteur
ressemble à un porc un peu efféminé. Tous ces
rites païens se ressemblent, des jeunes gens agités
qui dansent sur la scène et sautent sur place en

haranguant la foule, s'excitant les uns les autres sans aucun autre but.

Les jeunes garçons et les jeunes filles hurlent les mêmes mots que le groupe et sautent aussi sur place en se forçant à sourire, ils épient leurs voisins pour s'assurer qu'ils respectent la liturgie, que personne ne va les exclure du groupe. Le chanteur a les cheveux roses, il ne cesse de faire des gestes obscènes et essaie d'établir un contact visuel privilégié avec ses fans, il les fixe avec insistance, droit dans les yeux comme s'il allait pondre des œufs dans leurs cerveaux. Lorsqu'il me voit, il veut retrouver ce lien clanique invisible, il me regarde lourdement avec ses yeux de porc maquillés. Est-ce qu'il voit que je pourrais le tuer en une seconde? D'un geste? En lui tournant la tête d'un coup sec, presque sans effort? Lui déconnecter la moelle épinière? Lui broyer le crâne d'une seule main? Comme un œuf? Est-ce qu'il voit à quel point j'en ai envie? À quel point je hais tout ce qu'il représente? Faux dieu de pacotille aux cheveux roses. Peut-être s'en aperçoit-il car il tourne la tête et se met à sauter dans une autre direction en excitant un groupe de jeunes gens arborant les mêmes tatouages que lui, les invitant d'un appel de la main suivi d'un petit cri enthousiaste et aigu, d'un geste qui dit «viens», et qui me donne davantage envie de monter sur la scène pour lui briser la nuque.

Chez moi ils avaient des lance-flammes lorsqu'ils partaient nettoyer les villages, et un bidon de gasoil dans le dos pour les alimenter, j'ai vu tant de choses traverser le feu, tant de fumée s'élever au-dessus des palmes.

Je regarde la foule et je vois des gens qui hurlent comme s'ils faisaient l'amour, les filles sont sur les épaules des garçons, ils sentent la bière tiède, le vomi et la sueur, ils hurlent dans le silence, je n'entends que de sourdes vibrations derrière mes boules Quies, je vois des mains qui s'agrippent à la scène, je vois leurs bras qui s'agitent dans les stroboscopes, le monde se ralentit et je pense au désert et aux chacals qui tournaient autour de nous sur le chemin de l'école, et je ferme les yeux.

Je peux presque sentir l'air tiède du désert.

Soudain un pied sur mon épaule, le chanteur à tête de porc me marche dessus pour se jeter dans son public. Il écarquille les yeux pour se donner du charisme, les bras en croix, avant de sauter dans cette piscine humaine tiède et malo- dorante. Il se balance, son autre pied écrase le visage de Farid, il cherche son équilibre avant de sauter. Je ne réfléchis plus et je donne un coup de coude réflexe, c'est un petit coup de coude mais j'entends un craquement sourd, celui que fait l'os d'un poulet lorsqu'on le croque, je suis sûr que je lui ai brisé quelque chose. Il reste là suspendu un instant puis tombe lentement comme une feuille. Je le regarde effondré à mes pieds, il se tord de douleur, il hurle mais le bruit de son groupe recouvre ses hurlements, il est là à mes pieds, comme une écrevisse sur le carrelage d'un restaurant, et je pourrais l'aplatir en un clin d'œil mais je fais semblant de ne pas le voir, il me regarde de son œil lourd et maquillé et s'adresse à moi dans une langue que je ne comprends pas, Farid me passe derrière, l'attrape par les épaules et nous l'évacuons dans sa loge tandis que les musiciens continuent à jouer, on dirait qu'ils jouent les quatre mêmes accords depuis le début du concert.

Avant de partir, nous signons la feuille de présence, on ne me dit rien pour le chanteur, à croire qu'il ne s'est plaint à personne, le groupe est déjà reparti en tour-bus vers l'Allemagne. Je laisse mes Doc dans mon casier et je prends le tramway, j'ai envie de dormir, je mets mon réveil pour ne pas rater mon arrêt et la laisser seule au club.

La banlieue défile derrière les vitres sales, des silhouettes fantomatiques, les rues sont couvertes de givre, on dirait une patinoire, la glace va sûrement craquer bientôt, tout va sûrement craquer bientôt. J'aime bien la neige qui recouvre toute cette laideur, que du blanc.

J'essaie de m'endormir mais il y a une alter-
cation près du chauffeur, entre deux types, ils
commencent par s'appeler chef en se touchant
la poitrine dans un signe qui est censé montrer
le respect mais très vite, ils se tiennent près l'un
de l'autre en se menaçant.

— Tu veux la boxe ? Tu fais l'chaud ?

— Baisse les yeux fils de pute !

— Sur le Coran j'vais t'violer ta mère !

Je pourrais leur écraser la tête d'une seule
main mais j'ai envie de dormir. Ils continuent à
s'injurier et leurs visages s'éloignent.

Là d'où je viens personne ne s'injurie avant de
se frapper.

J'arrive au club, elle est encore en train de
danser, je me sers un gin tonic, je la regarde du
bar et ce spectacle est tellement triste, elle danse
lourdement avec ses cicatrices qu'on croirait
prêtes à craquer comme des fermetures éclair et
j'entends les gens qui se moquent :

— T'as vu celle-là ?

— Elle a essayé de baiser avec une tondeuse ?

Je suis juste derrière, je pourrais les déconnecter en une seconde que la Terre ne s'en porterait
pas moins bien, alors je ferme les yeux et je pense
au désert.

Lorsqu'elle finit son numéro, un voile de tristesse s'abat sur la salle, je vais l'attendre à l'ar-

rière et elle me rejoint, elle est si petite que j'ai du mal à la reconnaître de loin avec son petit sac de sport, sa silhouette épaisse et son sourire d'enfant.

Elle descend l'escalier devant moi et j'ai un instant envie de la pousser, cela me fait frissonner de tristesse, de dégoût de moi-même.

Elle se retourne et son sourire voilé me donne envie de la serrer contre moi.

— Tu as froid ? Tu m'as pas vue ce soir ? J'étais pas mal je crois.

Je prends son sac, je me penche sur le côté pour passer mon bras autour de sa taille et nous attendons le bus sans rien dire.

Arrivé à la maison, je me couche pendant qu'elle se démaquille et j'essaie de m'endormir avant qu'elle vienne me rejoindre.

Couché sur le ventre, l'air chaud de l'oreiller me fait penser au vent du désert et les cris de cette petite attardée derrière le mur à la plainte d'un animal qui cherche son chemin dans un labyrinthe.

LE DERNIER DES PÈRES

J'ai toujours aimé rouler la nuit.

Le soir commençait à tomber, je n'allais pas vite.

Nous venions de partir le petit et moi pour la maison de vacances de ma sœur en Normandie.

Nous approchions de Mantes pour rejoindre l'autoroute, ni moi ni mon fils ne disions un mot.

Je crois qu'il traversait une période difficile avec sa mère mais pas moyen d'en savoir davantage avec ce genre d'enfant. Un petit garçon réservé qui ne parle jamais de ses problèmes.

Moi non plus je ne parle pas de mes problèmes.

J'imagine que je devais aussi être ce genre d'enfant.

Une semaine entière de vacances avec mon fils, cela ne m'était encore jamais arrivé. J'avais dû batailler ferme avec la juge aux affaires fami-

liales pour qu'on nous laisse partir aussi longtemps.

J'étais heureux d'aller en Normandie, l'herbe
y est d'un vert si profond, la maison est juste
en face de l'Angleterre, on peut voir la côte par
temps clair.

Il y a là-bas un peu de l'éclat impérial bri-
tannique, un peu de passé dans ce monde sans
mémoire.

J'ai toujours admiré la vieille Angleterre.

Nous avons traversé les Mureaux, ce devait
être une campagne ou une forêt bleue, épaisse
et silencieuse, avant de devenir cet océan de grisaille, de désespoir géométrique.

Au loin la cheminée d'un incinérateur pointait
vers le ciel.

J'avais bu quelques verres avant de partir, pour
calmer l'angoisse des départs, pour stabiliser les
meubles, le plancher.

Quelques larmes de gin et le monde se remet-
tait à tourner rond.

«Il n'y a rien à craindre que la crainte elle-
même», un verre pour Churchill, à moins que ce
ne soit pour Roosevelt, un pour lord Mountbat-
ten, le dernier est pour moi. *Rule, Britannia!*

Je roulais, j'étais serein, mon fils était perdu
dans ses pensées, son beau profil se découpait

sur la tristesse des rues et ses quelques fantômes en burqa.

Je regardais avec admiration ses cheveux châtains et longs, ses pommettes hautes et saillantes, sa bouche en forme de cerise, ses petites mains pâles et fines qu'il promenait sur la vitre.

On n'aurait pu imaginer enfant plus ravissant.

J'avais suffisamment bu avant de partir pour ne pas avoir besoin de m'arrêter quelque part en route. Pas de peur inexplicable à combattre à coups de gin tonic.

Je me sentais bien, le petit à l'arrière sur son rehausseur, la tête inclinée dans le cuir du siège.

J'accélérais pour arriver plus vite.

La lumière orangée du compteur de vitesse donnait l'impression rassurante d'un foyer, d'être protégé des forces occultes de la nuit.

Nous glissions sous un ciel sans nuages.

Une étoile solitaire venait d'apparaître, dans l'axe de la route, quelque part vers le nord de la Terre.

Autour d'elle, il n'y avait rien, le vide, la mer des origines. Il suffisait de lever les yeux.

Big Bang, l'orchestre de jazz céleste qui a créé tout ce brouhaha. Big Bang, il n'y a rien d'autre que ça, nous et les étoiles, rien d'autre à espérer, quand on comprend ça, on a fait une bonne partie du chemin.

J'ai allumé la sono, Bowie s'est mis à gueuler, avec sa voix de charmeur hystérique, «They pulled in just behind the bridge, He lays her down…»

J'ai eu aussitôt le sentiment de voyager dans le temps, de la science-fiction en quelque sorte. J'étais assis sur un lit, en classe de neige, vue sur les montagnes et sur ma tristesse, mon frère me consolait — Tu les reverras tes parents, te fais pas de bile petit chat — , il me grattait le dos et je ronronnais — *ron ron* —, comme ça c'est bien non? Un peu plus haut?

«Gee my life's a funny thing…»

Me voici à l'arrière de la Peugeot bleue à décoller le chewing-gum au cassis du tissu.

«Am I still too young…»

Cette fois je suis sur les épaules d'un inconnu, au concert de Bowie, trois cent cinquante mètres de la scène, derrière une tribune pour handicapés, à regarder des petites poupées habillées comme des travestis venus de l'espace, tous fascinés comme des phalènes qui verraient une centrale électrique en plein milieu du désert.

La voix a continué.

«Took him minutes, took her nowhere…»

Une traînée de poudre, qui contractait l'espace-temps, bien plus que la super-relativité d'Einstein, recouvrait la laideur de la banlieue de sa majesté et me donnait envie de boire.

J'ai ouvert la fenêtre, l'air brûlant s'est engouffré, et un peu de Bowie s'est échappé.

«All night, she wants the young American...»

J'ai allumé une cigarette, l'un de mes quarante exercices de yoga quotidiens avec Mr Marlboro, le goût du papier m'a brûlé les poumons.

J'ai eu peur que par cette chaleur la fumée ne donne mal au cœur au petit.

Je l'ai éjectée d'une pichenette, une luciole qui a disparu dans le rétroviseur.

J'ai dû m'arrêter un instant pour faire le plein, la station était déserte. Une chaleur tropicale.

— Il va y avoir de l'orage, c'est sûr papa.

On pouvait sentir l'électricité partout dans l'air.

Ça m'a rappelé l'Amérique, les obèses qui glissent, lévitent presque, dans la chaleur de l'Arizona.

Bowie continuait à chanter, «Love me, love me, love me, Say you do...», le petit est sorti de la voiture.

— Je vais acheter des bonbons papa, tu me donnes deux euros?

Il pouvait mâchouiller ces sucreries pendant des heures et sa mère en profitait pour me voler dans les plumes.

— Ne le laisse pas se bourrer de sucreries

comme d'habitude, essaie de te comporter comme un père le ferait.

J'ai dit au petit qu'il aurait des caries.

— Ça me ferait mal au bide, on n'a pas de caries dans la famille papa !

J'ai rajouté que c'était de la gélatine, comme s'il suçait directement l'oreille d'un porc, et il m'a souri.

— Alors j'arrêterai quand je serai végan.

J'ai pensé qu'il avait une bonne repartie pour un gosse de dix ans. Il s'est éloigné de la voiture avec la pièce que je venais de lui donner, il était si léger, il volait presque. Je suis sorti à mon tour et il m'a regardé, quand je sors de notre voiture c'est assez impressionnant car notre voiture est petite et je suis grand, beaucoup plus grand que la moyenne.

Quand il était plus jeune, il me voyait comme un géant, il pouvait me demander pendant toute une journée si deux types comme moi ne pourraient pas venir à bout d'un ours… «Et tu crois que trois types comme toi contre deux ours, qui gagne ? Et cinq ours contre quinze types comme toi, tu gagnes facile non ?»

J'ai vu sa petite silhouette s'avancer vers la station. Avec la chaleur, les vapeurs d'essence faisaient vibrer la lumière, j'ai cru à un mirage, j'ai essayé de me souvenir de sa naissance, mais j'étais saoul, le jour où il est arrivé.

Tellement saoul que j'avais dû dormir dehors, sur un banc.

Comment pouvait bien être la vie avant?

Quand il a disparu à l'intérieur, j'ai eu peur un instant qu'il ne réapparaisse plus jamais, qu'il s'évanouisse dans l'air et m'abandonne.

J'ai mis ma carte bleue dans la machine, j'ai tapé mon code, faux numéro, tapé encore, faux numéro à nouveau, la machine s'est mise à me menacer, une voix de femme désincarnée : «À la prochaine erreur la carte sera désactivée. Tapez votre code. C'est à vous. C'est à vous maintenant. Tapez votre code. C'est à vous, tapez!»

La machine n'arrêtait pas de parler, la voix de cette femme résonnait dans ma tête. Impossible de me concentrer.

Alors j'ai essayé à nouveau et une voix lugubre a retenti. «Code faux, reprenez votre carte, carte désactivée.»

Je tremblais, la terre penchait autour de moi, j'ai cru que les pompes à essence étaient en train de fondre.

Je n'étais même pas capable de ne pas tomber en panne en emmenant mon fils en vacances, voilà ce que sa mère allait dire.

Que j'étais incapable d'assumer mes responsabilités.

Même à son baptême j'avais été en retard.

Le dernier des pères.

J'ai pris dans mon portefeuille la carte de la société, tant pis je rembourserais plus tard sinon ce salaud de Negulesco allait me tomber dessus avec sa gueule de comptable des enfers.

La voix s'est fait entendre.

«C'est à vous maintenant, tapez, c'est à vous, tapez.»

J'ai composé le code en tremblant et j'ai entendu le mécanisme de distribution d'essence s'enclencher.

J'ai respiré, je n'arrivais pas à déverrouiller le bouchon ni à mettre le pistolet dans la trappe d'essence. Des filets d'eau perlaient de mon front.

Une famille s'est garée à côté de moi, des Indiens, j'ai pensé que la mousson allait éclater.

Je suis rentré dans la voiture pour profiter de l'air frais du climatiseur, mais le filtre était cassé, un souffle tiède m'a caressé les joues, j'ai coupé la clim. Je ruisselais sur le volant. Je ne sais pas pourquoi, j'ai pris une pièce de monnaie et je l'ai posée sur mon front. Comme un signe hindou. Pour faire le vide.

Comme si le métal allait me rafraîchir.

Lorsque j'avais quatre ans, j'ai avalé une pièce

de cinq francs, il faisait chaud aussi ce jour-là, on m'a traîné aux urgences par le bras, comme un criminel, je ne me souviens pas du visage de la personne qui me tirait, une nourrice je suppose, mais je sais qu'elle ne m'aimait pas. Je jouais avec la pièce, à la lancer puis la rattraper dans ma bouche, soudain j'ai senti le goût du métal, ce morceau de ferraille qui m'a traversé le corps, bien trop large, déformant tout sur son passage, c'était agréable de sentir ça. Plus tard, on l'a cherchée aux rayons X, comme une blessure de guerre.

J'étais un héros.

Mon fils ne revenait pas. L'angoisse que le gin avait éteinte s'est remise en mouvement.

J'ai senti mon cœur accélérer et le plafonnier vaciller. Je me suis agrippé au volant. «Il n'y a rien à craindre, que la crainte elle-même…» J'ai fouillé dans ma sacoche, attrapé la bouteille d'Évian du bout des doigts, fait tomber mon miroir de poche rouge, où il est écrit «super mec».

J'ai porté la bouteille à mes lèvres, une gorgée, de la glace sur du feu, une seconde gorgée, c'est bon de sentir quelque chose qui traverse le corps, pas grand-chose, vingt-cinq centilitres de gin tiède. J'ai senti la peur refluer et l'euphorie, aussi inexplicable que la peur, reprendre le dessus, l'horizon se stabiliser.

J'ai vu mon enfant revenir.

Tout allait bien.

Il traversait la station-service d'un pas léger avec ses baskets volantes.

J'ai rangé la bouteille en vitesse dans mon sac, ramassé le miroir qui était tombé, jeté un coup d'œil dedans.

C'est vrai ce que dit ton miroir, tu es un super mec.

J'ai démarré en trombe, Bowie a recommencé.

«Do you remember a guy that's been...»

J'ai appuyé sur l'accélérateur pour rattraper le temps perdu.

La Seine filait en sens inverse, calme et sombre, aussi inconnue qu'un fleuve africain.

J'ai toujours aimé rouler la nuit, parce qu'il fait plus frais, qu'il y a moins de monde sur les routes et que l'on voit les voitures de plus loin à cause des phares.

Pourtant ça n'a pas empêché l'accident d'arriver.

J'ai déboîté pour doubler cette bagnole qui se traînait :

— Ils sont morts ou quoi?

J'ai entendu le bruit du clignotant,

«Time and again I tell myself...»,

et je l'ai vue apparaître là, devant moi, comme un nouveau mirage, une petite Nissan beige. J'ai aperçu la conductrice, un beau visage intelligent, une douceur, à peine de la surprise dans les yeux et aussi une forme à l'arrière, endormie, un enfant sans doute.

«I'll stay clean tonight…»

J'ai serré mon volant, j'ai tiré dessus comme sur le manche d'un avion, peut-être qu'en tirant suffisamment fort la voiture allait s'envoler au-dessus de cette bagnole, de la Seine, de l'Afrique.

La route s'est mise à tanguer comme l'horizon artificiel d'un avion, Bowie chantait «But the little green wheels are following me…»

C'était vrai, on aurait dit que les lumières des phares des voitures étaient rondes et vertes et qu'elles me suivaient. Tout était sphérique. La voiture s'est envolée, le petit et moi cramponnés, blottis dans le ventre d'une mère, comme soulevés par un vaisseau extraterrestre.

J'ai vu qu'il ne portait pas de ceinture, j'ai tendu mon bras pour le protéger. Je me souviens m'être demandé si les chanteurs pensent parfois à ce qui arrive tandis qu'on écoute leur musique.

Bowie-Anubis, le dieu psychopompe.

J'ai été reveillé par le contact de l'eau.

J'essayais de me souvenir de l'endroit où je me trouvais, comme lorsqu'on se réveille en pleine nuit dans un lieu inconnu et qu'il faut plusieurs secondes pour comprendre quel est ce lieu, que ce n'est pas la chambre où l'on s'est endormi.

J'ai pensé que cette eau faisait du bien, qu'elle me rafraîchissait. Elle était noire et froide et s'infiltrait partout dans la voiture, un vaisseau qui coule.

Les reflets orangés du pare-brise se sont éteints d'un coup, j'avais de l'eau jusqu'à la taille, si opaque et visqueuse que je ne voyais pas mes mains.

Mon fils était à sa place, il attendait sagement, comme lorsque je le voyais derrière la vitre en allant le chercher à la crèche.

Je lui ai demandé si ça allait.

— Oui ça va papa.

J'ai essayé à tâtons d'ouvrir la portière mais la pression de l'eau était trop forte.

Il y avait un grand trou dans le pare-brise par lequel l'eau s'engouffrait.

— Tu peux bouger mon chéri?

Il s'est agité un instant, une expression de douleur sur son visage, puis a paru se calmer.

— Non, je ne peux pas, je crois que ma jambe est coincée sous quelque chose papa.

J'ai tâté sur le côté, essayé de débloquer ma ceinture sans doute coincée par le choc. J'ai dû me plier pour la décrocher.

L'eau m'a alors atteint le visage, elle avait un

goût de fer, elle montait vite. Bowie continuait à chanter, une plainte ultramarine, venue des abysses, «My mama said, to get things done, you'd better not...»

Je me suis retourné, le petit avait de l'eau jusqu'à la poitrine.

J'ai plongé dans l'eau visqueuse, au milieu des choses accumulées dans la voiture, sacs plastique, bouteilles d'eau, tee-shirts, chiffons imbibés d'huile, balles de tennis, devenus en un instant débris de nos vies, naufrages, objets du désastre.

Ma main a accroché quelque chose, j'ai touché la jambe du petit, elle était coincée sous l'armature du siège, le rail compacté avec sa jambe lui traversait la chair, mélange de peau et de métal, un petit garçon mutant, un humanoïde aux grands yeux tristes.

J'ai voulu bouger le siège mais il a hurlé de douleur.

— Ne bouge pas je vais aller chercher de l'aide.

— Reste avec moi!

— Je reviens.

— D'accord, mais fais vite papa!

— Ne t'en fais pas je suis là. Regarde-moi... Ça va aller d'accord?

— D'accord papa.

Je suis sorti de la carcasse, mon cœur cognait contre les parois, prêt à exploser.

J'ai nagé quelques mètres dans cette eau visqueuse et profonde, nagé dans de la vase sans
fond, aussi vite que possible, chaque brasse soulevant des nuages de poussière, d'algues, d'or-
dures accumulées.

J'étais près du bord, pourtant je n'avais pas
pied.

Il n'y avait personne sur la berge, que des voitures qui filaient à toute allure comme si rien ne
s'était produit.

Personne pour nous venir en aide.

Sur le fleuve, masse froide et tranquille, les
phares des voitures qui passaient éclairaient une
partie de la rive. Cela faisait un petit halo, de la
forme d'un clair de lune qui se reflétait dans la
Seine puis disparaissait.

Je suis retourné vers la voiture. Je nageais,
nageais, ivre et totalement dessaoulé en même
temps. J'ai plongé la tête dans l'eau, ouvert les
yeux. Je suis passé par le pare-brise. Le petit ne
bougeait pas, la tête immobile, il respirait vite et
profondément.

L'eau lui arrivait jusqu'au menton, il levait la
tête pour la maintenir en dehors comme lorsque
je lui apprenais à nager.

J'ai essayé de bouger sa petite jambe à nouveau
mais le siège ne s'est pas déplacé d'un millimètre.

— Écoute, si l'eau monte, je vais te faire du
bouche-à-bouche ?

— C'est quoi papa ?

— Regarde, je plaque ma bouche contre la tienne et je t'envoie de l'air, puis tu l'expires pendant que je remonte en rechercher et je t'en redonne, on peut tenir en attendant les secours comme ça.

— Mais je ne sais pas comment faire, j'y arriverai pas, je ne veux pas, où est maman ? Je veux voir maman, maman !

— Écoute-moi mon chéri, ça va aller, si tu fais exactement ce que je dis.

— J'ai peur papa, je veux voir maman !

Le petit s'était mis à sangloter et l'eau commençait à atteindre sa bouche en faisant des bulles.

J'ai hurlé pour appeler à l'aide. Sur la berge, une voiture s'était arrêtée et deux hommes regardaient la carcasse sombrer.

J'ai approché ma tête près de celle du petit, à un centimètre de lui, de son beau visage. J'ai essayé de le dégager mais sa jambe ne venait toujours pas, pourtant malgré sa blessure il ne hurlait pas.

J'ai pris une inspiration immense, l'air me brûlait les poumons, j'ai collé mon visage contre celui de mon fils, appliqué mes lèvres contre les siennes et essayé de lui faire du bouche-à-bouche, j'ai vu ça dans un film avec Paul Newman.

Il se débat un instant puis comprend, il se laisse faire, j'applique mes lèvres sur les siennes, collées au plus près et je commence à lui envoyer de l'air, je tiens son beau visage entre mes mains, ses mains me touchent le front comme s'il me bénissait, l'eau dépasse ses yeux à présent, et ses paupières clignent et se referment, j'entends les battements de nos cœurs mélangés et je lui envoie de l'air. Une longue expiration profonde.

Ça a l'air de fonctionner, je vois son ventre se soulever, je voudrais rester là pour toujours, je n'ai jamais été aussi proche de lui, mais je dois remonter chercher de l'air.

Je décolle mes lèvres, je reprends une inspiration profonde à la surface, et je colle mes lèvres à nouveau contre les siennes, je lui souffle de l'air, mais ça ne marche pas comme dans les films, de l'eau s'infiltre dans sa bouche. Au moment où je me retire, il est secoué par un hoquet affreux et je peux voir l'eau noire s'engouffrer dans sa bouche et dans ses poumons, la panique dans ses yeux qui roulent et cherchent une solution, il regarde la surface, cinq centimètres plus haut il y a de l'air, il me regarde, tout son corps est secoué de spasmes, il tire sur sa jambe, je tire à mon tour sur ses vêtements, je plonge et tente d'arracher le siège.

Je dois tirer si fort que quelque chose craque, le siège se retire du rail et sa jambe se dégage.

Aussitôt je remonte avec lui vers le haut.

Son visage est au-dessus de la surface, je presse sa petite poitrine pour en faire sortir l'eau, mes mains sont en sang, j'ai perdu des morceaux de doigts dans le rail du siège.

Depuis la berge, des formes s'agitent, des phares nous éclairent.

J'appuie sur sa poitrine tout en portant son petit corps abandonné, comme je le portais le jour de son baptême, il crache un liquide saumâtre en bavant.

Respire petit cœur, respire.

Nous arrivons sur la rive et ses grands yeux de héros de manga s'ouvrent dans la nuit, ses paupières se soulèvent et je vois les portes du ciel, il me regarde et je l'entends pleurer et m'appeler de sa petite voix qui crépite et fait des bulles…

— Papa, papa.

Je le tiens, je ne le lâcherai pas, je suis son père, c'est moi qui l'ai tenu dans mes bras le jour de son baptême, je sens son ventre qui se soulève contre le mien, peau contre peau, j'essaie de le réchauffer, je sais comment faire, je m'en souviens, je l'ai fait le jour de sa naissance.

LA RÉSERVE

Parfois, lorsque les rayons du couchant dépassaient du pare-soleil, ils plissaient tous les deux les yeux, puis l'ombre recouvrait l'habitacle de son calme.

Le soleil avait brûlé toute la journée, elle en avait presque la nausée. Il était aussi bronzé que pouvait l'être un Blanc, sa peau foncée s'effaçait dans la nuit où ses yeux laissaient deux taches claires.

— On se croirait en Afrique du Sud, c'est incroyable non ?

— Là, regarde ! Encore un sanglier.

— On dirait un aurochs, c'est préhistorique ces machins-là, ils étaient là bien avant nous.

— On dirait des cochons surtout, on en a vu au moins une centaine non ?

— C'est pas possible, ils sont payés pour traverser sous nos roues ! Regarde, celui-là, énorme avec ses petits.

—T'as vu le tout-petit qui traîne derrière ses frères, on pourrait le ramener?

— Quelle bonne idée! Un cochon domestique en ville, ça fera plaisir à Helena et aux voisins!

Il conduisait vite sur la piste, soulevant de petits nuages de poussière, évitant les cailloux et les ornières du chemin, la nuit tombait sur le maquis.

—Tu es sûr que tu veux aller à ce dîner? C'est hors de prix, cent euros pour manger du veau, je trouve ça ridicule.

— Mais je rêve de ce veau ma chérie, j'en rêve toutes les nuits depuis qu'on est arrivés, je n'en mange jamais sinon, avec cette foutue manie que tu as de faire un distinguo entre les bêtes qu'on peut manger et celles qu'on doit protéger.

— Moi je ne me souviens d'aucun rêve depuis qu'on est ici, dit-elle en passant son doigt sur la vitre.

Ils traversaient la réserve, au loin la mer disparaissait avec le soleil, des veaux égarés sur la piste ralentissaient leur route.

—Tu crois que c'est un veau sacré? C'est assez peu habile de nous mettre sous le nez cette bête de Walt Disney, je vais sans doute avoir son petit frère dans mon assiette dans vingt minutes, dit-il en riant.

Elle se força à sourire bien qu'elle n'en ait aucune envie, juste pour lui faire plaisir, pour qu'il ne soit pas déçu et qu'il ait l'impression de passer une bonne soirée, ou peut-être était-ce simplement pour se convaincre qu'elle était heureuse.

Ils passèrent un petit pont étroit au-dessous duquel s'asséchait une rivière. Le pont avait exactement la largeur de la jeep blanche couverte de poussière.

— Ferme les yeux ! lui dit-il.

Elle ferma les yeux et se mit à songer à la vitesse foudroyante de l'existence et aux espaces infinis qui la séparaient de son enfance.

Un frisson lui parcourut le dos, elle pensa au futur, était-il déjà écrit quelque part ? Elle s'imagina à quatre-vingt-dix ans, s'éteignant entourée des siens. Elle ouvrit les yeux puis les ferma à nouveau et se vit cette fois au fond du ravin. Elle eut l'impression que toute sa vie, ces milliers de jours à faire la même chose n'étaient que des répétitions aboutissant à ce moment, ce passage étroit sur le pont.

Elle regarda au-dehors, la prémonition se dissipa. Elle laissa le pont disparaître par la lunette arrière.

Ils arrivèrent au restaurant, quelques mètres les séparaient du bâtiment, il fallait cheminer entre les oliviers, la lavande et la marjolaine, sous la lumière des étoiles, le long du sentier. Ils entendirent des bruits de tous côtés.

— C'est extraordinaire, on se croirait en Afrique, dès qu'on fait deux mètres à pied des animaux filent se cacher, et un ciel comme ça, il n'y en a jamais chez nous. Je ne me rappelle pas avoir déjà admiré une Voie lactée pareille, tiens une étoile filante, tu l'as vue?

— Oui, dit-elle.

— Fais un vœu!

Elle pensa aux centaines de vœux qu'elle avait déjà faits dans sa vie et serra son poing en regardant le ciel comme si elle se faisait cette fois une promesse inviolable.

Ils entrèrent dans le restaurant, quelques tables étaient déjà occupées, un orchestre corse jouait des reprises de tubes de variété américaine.

Les mêmes chansons où que l'on soit dans le monde, pensa-t-elle, les mêmes visages.

Ils s'assirent, il posa son coude sur la table, sa main appuyée sur son visage lui chiffonnait la joue. Il pianota sur son portable sans but précis, tandis qu'elle regardait la salle. Les serveurs étaient obséquieux et affairés, la musique trop forte, le sommelier vint leur faire goûter différents vins, tous d'origine corse. L'entrée arriva, c'était un assortiment de tartares de veau du domaine façon nouvelle cuisine, on leur servit du vin à plusieurs reprises.

Comme le repas risquait d'être long, il but autant de rouge qu'il pouvait, elle opta pour le thé à la menthe et se mit à parler des enfants.

— Lorsqu'ils iront au Rosset l'an prochain il faudra qu'ils reviennent tous les week-ends.

— Peut-être pas autant, il faut quatre heures de train pour aller en Suisse, je pense qu'un week-end sur deux serait plus raisonnable.

— Ils ont besoin de toi tu sais, il faudra que tu sois là davantage.

— Je suis là.

— Ils pourraient prendre l'avion?

— Avec les contrôles de sécurité, c'est à peu près équivalent, non le train est mieux et puis ça leur fera du bien d'être éloignés un peu de nous, surtout Thibault qui est toujours dans tes jupes.

— Il est plus fragile, c'est comme ça, il a quelque chose de tourmenté en lui, il faudra que tu y songes.

— Comme sa mère.

— Oui, comme sa mère.

Il y eut un silence, elle baissa les yeux, déplia et plia sa serviette avec délicatesse comme si elle faisait une couchette pour un oisillon, puis elle continua :

— Comment on va faire sans eux? À quoi va ressembler la vie dans cette grande maison, on va s'ennuyer!

— Parle pour toi, l'intérêt de cette école est

qu'ils vont se faire des relations pour la vie, il y a des gosses qui viennent des quatre coins du monde et qui seront amenés, pour certains, à avoir de grandes responsabilités.

— J'ai peur que ce soit un ghetto pour riches qui ne pensent qu'au fric, j'ai peur qu'ils changent et qu'ils deviennent des petits cons.

— Rassure-toi, nous ne sommes pas si riches! Plus pour longtemps en tout cas.

Il ricana un instant et jeta un regard dégoûté à la salle, se caressa la barbe pour s'assurer de sa virilité puis recommença à consulter les messages sur son portable. Le chanteur hurlait «Hotel California» sur une boîte à rythme et le plat arriva, c'était une autre assiette de veau du domaine qui ressemblait à la première en plus copieux.

Il posa son téléphone, prit ses couverts et se mit à dévorer son assiette à une vitesse vertigineuse en gobant presque les aliments.

Elle regardait les tables voisines, les clients étaient grands et bronzés pour la plupart.

Il leva les yeux et vit que sa femme n'avait pas touché à son plat. Elle semblait perdue dans ses pensées.

— Tu ne manges rien? Je peux finir ton assiette?

— Ça doit être un peu comme ça le Rosset, une pension où tous les gosses se ressemblent.

Des petits blonds athlétiques qui feront tous un mètre quatre-vingt-dix et conduiront des Porsche en commentant les cours de la Bourse.

— Tes gosses ne vont pas grandir par mimétisme. Comme tu es une naine, ils seront des nabots, et le Rosset n'y pourra rien.

— Pourquoi tu me parles comme ça?

— Parce que tu m'emmerdes, j'essaie de leur donner le plus d'armes possible pour affronter le monde, je me casse le cul à payer des vacances à tout le monde et tu me ramènes ta mélancolie à la con.

Il siffla son verre de vin sans reprendre son souffle, elle regardait sa pomme d'Adam monter et descendre à chaque gorgée comme la crête d'un coq.

Il soupira bruyamment en s'essuyant la bouche.

Le chanteur entama une chanson de U2. Elle pensa qu'elle détestait ce groupe alors qu'elle l'avait aimé. Son mari lui faisait ce même effet parfois. Elle se demanda ce qui se serait passé si elle n'avait pas connu cet homme et pourquoi elle avait tout sacrifié pour ses enfants qui devenaient des inconnus. Avant de tomber enceinte de la première, elle avait eu peur de ce corps étranger qui allait grandir dans son ventre et sa mère l'avait rassurée, «une naissance est toujours une bonne nouvelle». Elle aimait sa fille plus que tout, pourtant lorsqu'elle n'était encore qu'un bébé elle avait souvent pensé, le temps d'une seconde, à se jeter par la fenêtre avec elle. Une pulsion si forte par moments qu'elle avait longtemps évité de s'approcher des fenêtres ou des rails du métro avec ses enfants dans les bras.

Elle eut envie de sangloter comme une petite fille et d'appeler ses parents.

Elle composa mentalement le numéro de leur maison, ses doigts reproduisant sur la serviette le motif géométrique des chiffres sur le clavier. Quelqu'un répondrait-il si elle appelait? Combien de temps? Quel délai de viduité était décent avant qu'on attribue le numéro des morts à des vivants? Elle avait dû vendre la maison de ses parents l'hiver dernier, elle était la personne la plus âgée de sa famille, il n'y avait plus aucun obstacle entre elle et la mort.

Il continua à boire aussi vite qu'il put pour rentabiliser le prix exorbitant du repas, il calcula qu'à cent euros le menu et comme elle ne buvait que très peu, il fallait qu'il boive deux bouteilles au moins pour se sentir un peu moins escroqué.

En regardant à nouveau sa glotte monter et descendre avec l'écoulement du vin qu'il avalait d'un trait, elle pensa à toutes les femmes qu'il avait dû connaître, aux promesses hâtives qu'il avait dû leur faire, aux petits mots qu'elle avait retrouvés dans son téléphone, dans ses poches, aux différentes époques de leur vie commune, qui formaient à présent des strates de trahison et de déception. Lorsque la dernière couche de l'écorce se fissurait, alors seulement les couches plus anciennes remontaient à la surface, sans prévenir, comme ce soir, «Mon amour, j'entends le bruit de l'orage, et je pense à toi», «Je n'ai jamais fait ça pour aucune femme». Elle ne lui en avait jamais vraiment parlé, c'était ainsi qu'on l'avait élevée, mais elle avait toujours regardé avec un mélange de pitié et de charité ses aventures et la tentative de romanesque qu'il essayait de faire entrer dans cette vie somme toute ennuyeuse.

Le serveur lui apporta un thé brûlant qu'elle rêva un instant de jeter au visage de son mari.

Comme ils voulaient rentrer vite et finir les bagages, ils ne prirent pas de dessert. Il se leva en titubant, paya l'addition, ne laissa aucun pourboire.

Elle le suivait entre les tables jusqu'à la porte, toujours un bon mètre derrière lui.

Le chanteur s'attaquait sans conviction à un classique, «Can't Take My Eyes off You».

Ils s'éloignèrent sur le petit sentier qui menait au parking tandis que le bruit du groupe disparaissait sous la clameur des insectes qui habitaient la nuit. Il s'appuyait affectueusement sur son épaule.

Elle aimait son odeur.

Elle vit un serpent noir qui traversait la piste, en suspension à quelques mètres d'eux, elle crut qu'elle avait rêvé et se serra contre lui en frissonnant.

— Tu as vu? Le serpent noir? C'est la première fois que j'en vois un.

— Non, il fait noir, je ne peux pas conduire, je suis trop bourré, toi ça va?

Elle prit les clés qu'il lui tendait, vérifia qu'aucun reptile ne rentrait dans la voiture en s'asseyant sur le siège conducteur, chercha les phares et démarra. Aussitôt elle éteignit la radio italienne qui s'était mise en marche et le bruit du moteur emplit l'habitacle.

Elle conduisit lentement sur la piste qui longeait les collines.

En dehors du halo des phares il n'y avait que la nuit noire, au-delà la mer noire puis l'espace sombre froid et infini.

Elle était perdue dans ses pensées, sentant monter en elle la tristesse des départs. Ils devaient prendre l'avion pour rentrer le lendemain. Elle détestait remettre leur sort, celui de ses enfants, entre les mains du hasard et des statistiques.

Elle sentit l'angoisse lui serrer la gorge et leva les yeux au ciel pour s'assurer qu'elle n'était pas sous un tunnel tant le noir était profond.

Elle entendit soudain un bruit sourd et sentit que la voiture avait percuté quelque chose, elle poussa un petit cri.

—Tu as entendu? J'ai touché quelque chose. C'était quoi? C'était quelque chose, j'en suis sûre.

— Je crois que c'était un sanglier.

—Tu es sûr?

— Je crois bien, ou un hérisson, ou un veau, ce sont tous des veaux dans ce pays.

Il ouvrit la fenêtre et hurla dans la nuit.

— Des veaux!

— Il faut s'arrêter non?

—Tu veux faire quoi? Du bouche-à-bouche?

—Tu es sûr que ce n'était pas un enfant? Toute ma vie je me suis dit que ce qu'il y aurait de pire au monde ce serait d'écraser un enfant. Je me tuerais si j'écrasais un enfant.

— Que veux-tu qu'un enfant foute sur cette route déserte en plein milieu de la nuit?

Elle ne dit plus rien et ils continuèrent à rouler dans le silence, il semblait que la nuit les enveloppait complètement jusqu'à l'intérieur de la voiture, elle ne voyait presque plus ses mains toucher le volant, ils étaient en train de disparaître pour de bon.

— Cette nuit j'ai rêvé que je perdais mes dents.

Il ne répondit rien, quelques secondes après il

soupira profondément, cela fit le bruit d'un bal-
lon qu'on dégonfle, puis il se rendormit.

Elle se gara devant la maison et sortit aussitôt
de la voiture.

— Éclaire-moi, tu veux, je vais regarder !

— Mmm, on regardera demain, je suis crevé,
tu me rejoins !

Il émit un grognement et partit directement se
coucher sans l'attendre.

Elle alluma la petite lampe de poche de son
téléphone portable et se pencha, elle scruta les
pneus et le pare-chocs avant terrifiée à l'idée de
ce qu'elle pourrait trouver, mais ne vit rien qui
laissait penser qu'elle avait écrasé quelque chose.

Elle fit à nouveau le tour de la voiture, crut
voir du sang, s'accroupit, sortit sa main tremblante et humide dans la lumière et s'aperçut que
c'était de l'essence mélangée à de l'huile, elle la
porta à son visage pour en respirer l'odeur rassurante et enivrante. Enfant, elle adorait l'odeur de
l'essence et son père se moquait gentiment d'elle
en disant «la petite sera sans doute pompiste plus
tard».

Elle n'était pas devenue pompiste, elle n'était
pas devenue quoi que ce soit d'ailleurs, elle avait
toujours été la même petite fille effrayée qui
attend toute la journée à la fenêtre que quelque
chose de bon advienne, comme un prisonnier
attend un coup d'État.

Elle rentra dans la chambre des petits pour les écouter dormir et voir, comme avant, leurs ventres se soulever, leurs cheveux transpirants et bouclés étalés sur l'oreiller. Derrière la porte le monde était livré aux serpents, aux lézards et aux méduses, c'était déjà ainsi il y a un million d'années.

Elle prépara le petit déjeuner, disposa bols et tasses, une belle table avec des branches de myrte et de romarin sur la nappe blanche, fit chauffer de l'eau, enleva son maquillage, brossa ses longs cheveux blonds puis se glissa dans les draps.

Elle s'endormit d'un sommeil sans rêves. Lorsqu'elle s'éveilla il faisait toujours nuit et elle était assoiffée.

Elle sortit pieds nus et en chemise de nuit dans le jardin, c'est étrange que l'heure la plus sombre de la nuit soit celle qui précède l'aube, pensa-t-elle.

Elle aima le contact de l'herbe humide sous ses pieds nus, s'éloigna de la maison et marcha jusqu'aux rochers en contrebas qui surplombaient la mer.

Elle se mit à siffler un petit air, qui se mélangeait au vent, un petit air de rien du tout, qu'elle avait dû apprendre il y a longtemps lorsqu'elle était enfant et qui lui revenait, à cet instant précis, après toutes ces années.

Elle grimpa sur les premiers rochers puis se mit à quatre pattes pour éviter de glisser, comme un animal, chacun de ses pas semblait réveiller des insectes assoupis.

Plus elle approchait de la mer, plus le vent devenait fort. Arrivée en haut des rochers, elle contempla la mer sombre comme de la mélasse soulevée par une houle profonde, étendue noire de Mars percutée par des crevasses plus noires encore.

Des planctons phosphorescents irradiaient par endroits la surface, des lucioles venues des profondeurs remontaient avec l'écume, par efflorescence. Elle descendit des rochers vers la mer, en prenant soin de ne pas s'égratigner les mains, elle prenait tellement soin de ses mains, la roche était humide et glacée.

La houle était si violente qu'elle n'eut pas le temps de se glisser dans l'eau et fut en un instant emportée dans le liquide pourpre qui l'éloignait des rochers. Elle sentit son corps se mélanger aux algues, devenir léger comme dans les contes de son enfance, d'une légèreté qu'elle n'avait plus ressentie depuis des années.

Au loin les premières lueurs de la côte s'allumaient.

Un vent faisait plier les arbres de la réserve, on aurait dit que quelqu'un les remuait lentement dans la nuit.

L'ESCALIER

— Comment tu te sens?

Je me contentai de hausser les épaules.

— Ça t'a impressionné?

Je fis oui de la tête.

Je ne pouvais m'empêcher de regarder une mouche posée sur le barreau de la fenêtre, ses petites pattes s'affairaient minutieusement sur une miette de branchage, une poussière cosmique qui était le centre de son attention maniaque et misérable. Comment était-il possible que personne n'ait inventé l'hélicoptère des siècles plus tôt en observant un truc comme ça?

— Ne t'en fais pas, ça ne se passera pas comme ça pour toi, ça ne t'arrivera jamais.

Je regardais mon père et je n'arrivais pas à voir la moindre étincelle de lumière dans ses yeux.

Pourtant je le croyais et je le crois encore dans une certaine mesure.

Nous étions à table tous les trois, nous revenions de l'enterrement de mon frère, nous n'avions pas parlé depuis le matin, il n'y avait rien à dire, je vis dans le miroir du salon que mon bronzage était en train de disparaître. Je venais de rentrer de colonie de vacances.

La mouche s'envola, je la regardai s'évanouir dans l'air.

Je savais que mon frère était malade mais je n'imaginais pas que ça arriverait pendant l'été. Il était si contagieux quand il est mort qu'on a dû l'enterrer dans un cercueil en plomb. Je ne saurais pas trop dire pourquoi, ni ce que ça change, mais cela accentue encore la distance et l'épaisseur des mondes qui se tiennent aujourd'hui entre lui et moi.

Lorsqu'on m'a appris la nouvelle j'étais en colonie, à la montagne, près d'Annecy, parce que l'air là-bas était censé être bon, mais l'air était exactement le même qu'ailleurs, ni plus ni moins, mon frère me manquait et j'aurais dû rester près de lui.

Je me souviens de mon départ, je déteste les départs, je n'avais pas voulu y aller, mes parents avaient dû m'arracher au siège de leur Peugeot bleu métallisé pour me faire monter dans l'autocar.

Les fils du directeur faisaient pétarader leurs petites motocross dans les champs et moi j'attendais derrière la vitre en les regardant.

Les vapeurs d'essence s'échappaient des chromes, assombrissaient l'air au-dessus des blés puis s'envolaient en tourbillonnant comme des papillons d'amiante, leur odeur me rappelait mon frère, tout me rappelait mon frère qui m'attendait quelque part derrière les champs métalliques. Le soir descendait.

Il ne restait plus que quatre jours avant de le retrouver lorsqu'un moniteur a appelé mon nom dans le hall.

— Greg, mon grand, téléphone pour toi !

J'ai tout de suite su, parce que le téléphone était strictement interdit au centre et que sa voix était doucereuse alors que ce moniteur était le pire de tous.

On m'a fait sortir de la cantine où je finissais d'étaler une pâte de fruits sur un morceau de pain, je ne connais aucun enfant qui ait jamais aimé les pâtes de fruits, et pourtant dans tous les réfectoires des internats glacés de la Terre on continue à en distribuer aux petits comme si cela devait durer pour toujours. J'ai décroché le téléphone sur le bureau et le directeur du centre est sorti de la pièce sans me regarder.

J'ai entendu la voix de mon père.

— C'est moi.

— Ça va papa ?

— Pas de problème, me répondit-il par habitude.

Comme s'il parlait des filtres du climatiseur.

Peut-être se sentait-il comme le filtre d'un climatiseur, ou comme le skimmer d'une piscine, peut-être croyait-il que son existence servait uniquement à filtrer la merde que la vie laissait sur son chemin, puis il a rajouté :

— Enfin si, ton frère est mort ce matin.

Je n'ai pas su quoi dire alors j'ai demandé :

— Il est où ?

— On l'a mis dans un frigo à l'hôpital, là où ils rangent les autres… Tu prends le train demain matin… À demain mon chéri… Je t'aime.

— À demain papa.

Le directeur du centre est rentré dans son bureau, il m'a serré l'épaule.

— Ça va aller petit, je suis désolé pour toi, si je peux faire quelque chose dis-moi, finis ton dîner et puis… Tu sais… Enfin… Tu peux aller préparer tes affaires… Va manger d'abord.

Je n'ai rien répondu, il n'y avait rien à dire, ses mots se brouillaient dans ma tête et mes pensées étaient terriblement confuses, suspendues, je devais retrouver mon frère dimanche, c'est-à-dire dans quatre jours. Était-il possible qu'il y ait une autre réalité quelque part juste derrière la mince feuille qui nous sépare de la seconde d'avant ? Où j'aurais pu le retrouver ? Lui dire ce que j'avais à lui dire? J'avais tellement de choses à voir avec lui, tellement pris de notes depuis le début de l'été sur des points en suspens qui méritaient son avis. Comment j'allais m'en sortir sans lui?

Le temps est un cercle, je peux localiser chaque jour dans ce cercle, comme une voiture sur un circuit automobile, et chaque jour a sa couleur spécifique, à la fin de ce cercle je dois retrouver mon frère, quatre jours c'est tout ce à quoi je pense en traversant le préau, quatre jours et je compte sur mes doigts dans ma poche.

Je suis revenu au réfectoire, j'ai senti une vague d'angoisse me transpercer le ventre, mes jambes me portaient à peine, j'essayais de me concentrer sur ma respiration mais il me semblait que la pièce tournait autour de moi.

Je me suis assis et Sébastien Droulez s'est foutu de ma gueule, je l'aimais bien pourtant, son nez était toujours sale et ses yeux étaient d'un bleu profond de la couleur des calots, mais j'avais besoin de faire sortir quelque chose.

— T'as été chier? C'était long dis! Tu t'es bien essuyé le cul au moins?

J'ai regardé ses beaux yeux bleus et j'ai frappé si fort que je lui ai cassé la mâchoire, je me suis brisé des petits os de la main sur son beau visage.

Ils ont dit le nom des os cassés à l'hôpital mais

je l'ai oublié, chaque chose a un nom et ces petits os en ont un aussi.

Je ne voudrais pas mourir dans un hôpital dans l'odeur du Dakin et des désinfectants, mais dans une chambre, en écoutant le bruit de la mer et les millions de poissons qui attendent derrière les rideaux volant dans l'air du soir.

Il paraît que pour se souvenir d'une chose nouvelle il faut en effacer une autre plus ancienne.

Je n'ai même pas été puni, compte tenu des circonstances m'a-t-on expliqué.

Je ne voudrais plus rien apprendre de nouveau pour ne rien oublier de mon frère.

Mon père est venu me chercher à la gare.

Je suis monté dans la voiture et nous n'avons pas dit un mot, il n'y avait rien à dire, pas de consolation, pas d'anges au ciel ou de conneries comme ça, il n'y a rien dans le ciel que des satellites qui relaient des émissions pourries et des étoiles mourantes, pas de «on se retrouvera», «tu pourras lui parler quand tu en auras envie», pas de ça, plus personne à qui parler, juste une boîte avec un enfant dedans et au-delà le vide.

Le temps est un cercle, je peux localiser chaque jour dans ce cercle, comme une voiture sur un circuit automobile.

Je me souviens de chaque marche, nous sommes côte à côte mon frère et moi et nous montons cet escalier en colimaçon et il est trempé de sueur, je lis la peur la plus totale dans ses yeux et je donne le change.

— Allez monte, ça va aller, là, tu mets juste le pied là, devant, comme ça, c'est pas difficile hein ? Tu peux y arriver, là comme ça. Ça fait déjà dix marches, c'est pas mal, dix ? Regarde juste là on est déjà au demi-étage, pense aux fourmis, ce qu'elles arrivent à monter avec ce qu'elles portent sur le dos. On est des Sherpas toi et moi, je suis Hillary, OK ? Et toi tu fais Sherpa Tensing ?

C'est le même escalier qui revient chaque nuit, je l'aide à monter les marches qui le mènent tout en haut, il y a cinq étages, vingt-trois marches par palier sauf au troisième étage où il y en a vingt-quatre. Pourquoi cet étage est-il plus haut que les autres ? Est-ce que quelqu'un a réfléchi à ça en construisant cet immeuble ? Sur quoi est construite cette ville ? Des carrières ? Des failles ?

Les marches sont pentues et l'escalier est délabré, les murs s'effritent, chaque marche il me semble qu'il va se briser.

Chaque étage l'escalier pousse d'un palier supplémentaire et nous n'approchons jamais de la porte que nous devons atteindre, et qu'est-ce qu'il y a derrière cette porte? Un remède? Une sentence?

Mon frère me regarde l'air de dire «Mais pourquoi cela m'arrive-t-il à moi? Tu sais comme moi ce qui va se passer, ce que je vais manquer».

Il n'y a aucune colère dans ses yeux, deux petits lacs tristes et sans fond.

Nous arrivons devant la porte et nous attendons. Mon frère est pâle comme la neige fondue des glaciers, il ressemble à un saint.

Je m'assieds sur une marche et mon frère n'arrive même pas à s'asseoir, je me lève, le prends par les bras et l'aide à plier ses minuscules jambes sous la marche.

Derrière nous la porte s'ouvre et nous ne le voyons pas.

Le jour de l'enterrement ressemblait au jour le plus triste de tous. J'aurais voulu qu'un tremblement de terre avale la ville et les champs, qu'une tempête balaie le ciel et la terre mais rien de tout ça n'est arrivé, la nature se foutait de mon frère, tout comme la terre se foutait de le recevoir dans son ventre humide. Mon père n'a pas desserré les mâchoires, ma mère a fait semblant d'être courageuse, moi j'ai fait semblant de pleurer, je ne sais pas pourquoi j'ai fait semblant, je ne sais pas pourquoi je n'y arrivais pas.

On a descendu le cercueil en plomb dans la

terre meuble. Sur une petite machine qui ressemblait à une tondeuse, un fossoyeur attendait
en regardant sa montre que le rabbin finisse ses
prières.

Une prière sur les anges du bon Dieu, une
milice céleste censée accompagner mon frère
dans son voyage et aider les petits enfants à
retourner dans le royaume astral qui se situe en
vérité juste là, à quelques mètres sous la terre
gelée.

Un loubavitch est passé en agitant une
cagnotte, son pantalon tire-bouchonné traînait
dans la boue. Le rabbin a parlé du monde à venir
et de la résurrection. J'ai pensé que mon grand
frère aurait bien du mal à sortir de là pour revivre.

Il s'est mis à pleuvoir, on n'y voyait plus rien,
nous avons regagné le parking, à l'arrière de la voiture, j'ai enfoui ma tête dans le cuir de la Peugeot
et j'ai fondu en larmes.

Au moment où je m'endors, je ne sais plus très
bien ce qui est vrai ou pas. Parfois je rêve qu'il
n'est mort que dans mon rêve, je pense que je
vais me réveiller, le retrouver comme avant et filer
dans son lit pour me planquer sous la couverture
et le couvrir de baisers.

Lorsque j'ouvre les yeux, la réalité frappe à la
porte de ma boîte crânienne avec une pelle, et je
redécouvre comme au premier jour qu'il n'est pas

là et que j'ai dormi seul dans ma chambre. Personne à qui raconter mon rêve.

Peut-être que mon existence est une mince couche de réalité, de l'épaisseur d'une feuille, entre des existences plus anciennes que je peux encore par instants percevoir, mais tout se referme, les fontanelles comme les portes des tombeaux.

Je me réveille, j'ai la bouche sèche, je bois une demi-bouteille, je vais pisser dans le lavabo pour ne pas avoir à descendre, puis je vais faire chauffer des flocons d'avoine dans la casserole, en attendant, je me recouche un instant en pensant que cet escalier a vraiment existé, je me cache sous la couette pour me maintenir au chaud, je ne compte pas me rendormir mais je m'endors tout de même, et je rêve de cet escalier à nouveau, je lui tiens la main.

Derrière nous la porte s'ouvre, une crevasse sur un glacier, il ne la voit pas et il se tient juste devant, je le vois et je ne dis rien, je le laisse sur cet escalier où je l'ai conduit, cet escalier qui grandit, une moraine qui avance, qui avance et qui va le déposer de l'autre côté, derrière le seuil, là où je ne le verrai plus.

L'ENFANT QUI NAGE

Il a un long manteau à carreaux noir et gris et une écharpe, été comme hiver. Il porte des lunettes de vue à bords épais aux verres toujours sales et couverts de buée, il a souvent un sac plastique, parfois il en porte deux, un dans chaque main, il sait où j'habite.

Parfois il attend la journée entière devant chez moi.

Je traverse la cour, je suis en retard, je me dépêche d'aller vers la porte cochère en bois, je tire sur la poignée en acier, la porte est lourde, je passe le seuil en métal, je regarde à droite puis à gauche, bien sûr, il est là au coin de la rue, assis sur un muret de pierre devant le parc, il ne fait pas attention aux enfants qui passent, il me regarde, je ne sais pas s'il est en colère ou s'il est triste, il me regarde.

Je file vers l'école et il se met en marche à ma suite, je ne veux pas me retourner mais je ne

peux pas m'en empêcher, des petits coups d'œil
rapides par-dessus mon épaule, il marche d'un
pas lourd en raclant le sol comme un cavalier
sans cheval, ses gros sacs plastique lui servent à
équilibrer sa marche.

Il a des godillots à lacets, des godillots humides
qui s'écrasent comme des éponges sur le sol.

Il est tôt mais il fait déjà chaud, comme dans
les îles.

Ses longs cheveux noirs et graisseux cachent
une partie de son visage mais laissent apparaître un gros nez troué et bosselé, une racine de
tubéreuse arrachée et replantée au-dessus de la
bouche.

Je ne connais pas son âge, je sais qu'il y a de la
violence dans ses yeux.

J'ai beau accélérer le pas, il se trouve toujours
à la même distance.

Mon cartable est si lourd, j'ai l'impression de
porter les tables de la Loi sur mon dos.

Rue Pavée je traverse pour ne pas passer
devant les pompes funèbres, je ne veux pas voir
leur vitrine, je ne veux pas marcher de ce côté-là,
la mort rôde devant ce coin de trottoir, je sais
que si je vois mon reflet dans leur vitre je suis
perdu. Je retiens ma respiration vingt ou trente
secondes et je passe essoufflé devant la vieille
synagogue tordue protégée par des soldats en
armes. Je reste un instant auprès des soldats.

Leurs armes sont étincelantes et je me sens en
sécurité auprès d'eux, mais je dois les déranger
et j'ai peur d'être en retard alors je reprends mon
chemin.

Parfois je pense l'avoir semé, mon pas s'al-
lège, c'est alors que je le croise à nouveau, à
quelques mètres de moi, qui marche plus lentement encore dans une rue perpendiculaire, rue
Malher ou rue du Roi-de-Sicile, avec ses paquets
énormes, il paraît immense, mais tout le monde
est immense, je ne comprends pas ses trajectoires, comment peut-il se retrouver ici alors qu'il
était loin derrière moi un instant plus tôt, j'imagine un réseau de passages secrets dont il aurait
la clé, des soupiraux où il voudrait m'emmener
pour faire des choses épouvantables. Peut-être
sont-ils deux à me suivre ? J'en arrive parfois à
penser qu'il n'existe pas vraiment, que c'est une
invention de mon esprit ou un pauvre homme
qui habiterait là depuis toujours.

Je continue à marcher, lorsque je dépasse le
pont Marie, chaque fois il disparaît, la Seine
doit être pour lui une frontière infranchissable,
je ne l'ai jamais croisé encore de l'autre côté
de la rive, peut-être a-t-il peur de l'eau ? Les
loups n'ont-ils pas peur du feu ? Peut-être a-
t-il un territoire de chasse dont il ne sort
jamais ?

Je traverse l'île de la Cité d'un pas plus joyeux,

j'escalade la montagne Sainte-Geneviève, la chaleur de la journée commence à monter sur la ville, au loin des grues construisent des immeubles.

Je me sens libéré d'un poids, je souris aux ouvriers, aux passants qui croisent mon regard.

J'entre dans le collège. Et la journée commence, conjugaison, géométrie, chimie, rien ne se perd rien ne se crée, tout se transforme, la gravitation, l'inertie.

Je reste un moment devant le Méridien dans la cour, des enfants se battent au loin. Est-ce qu'ils se tueraient s'ils en avaient le droit? Je déjeune d'un bout de pain au fromage sur un banc dans le cloître. Je vais chercher un café à la machine, il fait si chaud que je n'ai pas très faim. Je monte le grand escalier et je pars étudier à la bibliothèque en me demandant où je vais le retrouver à mon retour et si ce n'est pas moi après tout qui gravite autour de lui?

L'attraction d'un corps est proportionnelle à sa masse paraît-il.

Après l'étude, je quitte le collège avec un camarade que j'essaie de garder le plus longtemps possible à mes côtés, nous ne nous parlons pas, je voudrais bien qu'il reste avec moi mais je ne sais pas comment lui dire. Il bifurque rapidement vers les arènes en me faisant un signe de la

main, je regarde avec angoisse sa silhouette s'éva-
porer derrière les murs, vers le couchant.

Si je connaissais quelqu'un qui habitait près
de chez moi je ferais le chemin avec lui mais les
élèves du collège vivent tous dans un autre quar-
tier.

Dès que je passe l'enceinte de Philippe
Auguste et ce qu'il reste des portes de la vieille
ville, je me laisse descendre de la montagne, mon
sac est si lourd, je suis un plongeur lesté qui file
vers les grands fonds, les autobus qui crachent
leur fumée dans l'air saturé de particules me font
penser à des monstres marins. Je suis trempé de
sueur, je nage depuis longtemps, je ne sais pas
depuis combien de temps, je suis plongé dans
mes pensées.

Lorsque je passe le pont Marie je sors de ma
rêverie et commence à le chercher des yeux.

Devant le bureau de tabac, une foule ondule
par paquets comme des vagues, je le guette, je
vois des personnes qui se croisent sans se heur-
ter comme par miracle, des gens de différentes
couleurs qui se ressemblent tous par certains
aspects, leur pas est le même.

Je m'étonne qu'ils dévient tous au dernier
moment de leurs trajectoires, comme le font les
poissons, qu'il n'y ait pas plus de collisions.

Je passe devant le musée Carnavalet, mes
jambes sont si lourdes, j'ai l'impression d'avoir

des chaussures de scaphandrier et une ceinture de plomb. Au virage je prends la rue de Turenne. Il y a une inscription sur un mur, mais elle est si sombre et ma tête est si lourde que je n'arrive pas à la lire.

J'aperçois au loin une forme dans l'air qui tremble, je m'approche et il est là, il se tient debout dans son immense manteau d'hiver.

Il est revenu, il me regarde comme s'il voulait me parler mais il ne dit jamais rien, il s'approche en baissant la tête, ses cheveux ont la même couleur que les miens. Je ne vois jamais ses yeux, que cache-t-il sous son manteau à carreaux?

J'ai dû faire quelque chose de grave.

Je cours pour franchir les derniers mètres qui me séparent de chez moi, mes pas résonnent dans la rue et dans ma tête. Mon cartable me brûle et me frappe le bas du dos en retombant à chaque foulée, j'ai beau courir, il avance plus vite que moi, je compose le code d'entrée sans respirer, aussi vite que je peux, je ne me retourne pas, espérant ne pas faire de fausse combinaison.

Je pousse la lourde porte, juste assez pour me faufiler, puis la repousse aussi fort que je peux.

Lorsque le battant en métal claque, je respire enfin.

Je regarde la porte de la cour un instant comme si elle allait voler en éclats, comme s'il pouvait la traverser, je ne regarderais pas avec plus de crainte les portes de la Loi. Puis je m'éloigne en marche arrière, je cours dans le grand escalier, je referme à double tour la serrure de la maison et me précipite à la fenêtre, j'essaie de ne pas dépasser du cadre pour ne pas être aperçu de l'extérieur mais je ne peux pas voir la rue sans me lever.

Je me mets debout et je scrute la rue silencieuse où le soleil balance l'ombre portée des réverbères. C'est alors et alors seulement que je vois ses yeux, des yeux perçants, des lacs sans fond, me regardant fixement, des yeux qui ressemblent exactement aux miens, des yeux qui signifient qu'il sait qui je suis, et que quelque chose de terrible doit arriver.

LES ORQUES

On était au bord de la fosse avec Sacha et Ahmed. Sacha a toujours été un cinglé de première catégorie, pour quelques pièces il voulait bien plonger depuis les plates-formes des cuirassés, il se laissait entraîner dans le vide en souriant, et venait percuter l'eau verte du port de sa minuscule carcasse de poulet, j'ai toujours aimé Sacha.

Le sable brûlait tellement qu'on a dû remettre nos chaussures, l'odeur de la mer sombre et iodée m'emplissait les poumons, des parfums venus des profondeurs mêlés au soleil et aux odeurs de gasoil des tankers.

J'ai toujours aimé cette odeur, je ferme les yeux et je sens alors la puissance de l'inconnu, comme lorsque je traverse le tunnel de la Porte d'Orient en scooter derrière Sacha et que le soleil disparaît dans la circulation noire du port.

La mer semblait rayée par les reflets du soleil.

— Il y a au moins cent cinquante mètres de fond.

— Tu parles, compte au moins le double, a dit Ahmed.

— Tu crois qu'un homme peut descendre aussi profond?

— T'es taré ou quoi? j'ai dit.

On était des vrais lézards, assis sur une pierre à nous réchauffer, quand le bruit a commencé, un son à peine perceptible, souterrain, venu du centre de la Terre, couvert par les cris des oiseaux et le bruit lointain des grues du port. Au début on n'a rien remarqué d'anormal et on a continué notre conversation.

— Tu crois que si tu plonges aussi profond et que tu remontes d'un coup il t'arrive quoi?

— Je crois que tu explose, a dit Ahmed, et comme une grosse merde, a-t-il rajouté avec son sens de l'humour habituel.

— Peut-être qu'il t'arrive rien, ça dépend si tu as des bouteilles ou pas, a dit Sacha qui était plus scientifique.

Puis le bruit s'est amplifié, un son sourd à basses fréquences qui montait crescendo, le bruit du tonnerre qui gronderait dans un ciel d'été sans nuages. Sacha s'est mis à chercher quelque chose dans le ciel en plissant les yeux comme un astronome.

— Tu vois quelque chose?

— Non, rien.

— C'est sûrement un avion de chasse.

Le bruit a commencé à devenir assourdissant, on pointait tous les trois nos yeux vers le ciel qui portait la menace d'une chose terrible, peut-être une éruption solaire en marche, ou une météorite qui allait tomber du ciel pour anéantir tous nos péchés.

Le port était désert, la ville était vidée de ses habitants, Sacha, Ahmed et moi étions les trois seuls de notre classe à être cloués là pour l'été. Le bruit devenait une douleur, une vibration affolée de nos tympans, nous n'avions jamais rien entendu de tel, l'eau du port s'est mise à trembler, j'ai regardé en l'air et derrière le soleil, il m'a semblé voir quelque chose de caché, un spectacle d'une invraisemblable cruauté.

— C'est un orage magnétique, a dit Sacha.

— Un tsunami.

— Un avion de chasse furtif au-dessus de nous, j'ai dit.

Les algécos du chantier du port ont commencé à vibrer à leur tour et on a tous pensé à un tremblement de terre. Ahmed est parti en courant, j'aurais voulu le suivre mais Sacha ne bougeait pas, il restait hypnotisé par le bruit et je ne pouvais pas partir sans lui. J'ai toujours aimé Sacha, sa peau, son odeur, son sourire frondeur, la blancheur de ses dents, l'élégance de ses cheveux châtains qui lui barraient les yeux.

Sacha a ouvert la bouche mais aucun son n'est sorti, il a tendu la main en direction des immeubles derrière moi, j'ai pensé qu'ils étaient en train de s'effondrer, je me suis retourné et j'ai vu le ventre immense et gris d'un avion, un gros-porteur avec quatre réacteurs. De l'une des ailes, des flammes immenses s'élevaient comme d'un incendie de forêt, l'avion est passé au-dessus de nous au ralenti dans un bruit de fin du monde et puis on l'a vu foncer vers les eaux noires du port et amorcer un virage.

Je retenais mon souffle, la moindre respiration pouvait le faire tomber, Sacha ressemblait à une bête qui va fuir, les muscles saillants, prête à bondir.

L'avion a commencé à tourner au-dessus de la mer, un oiseau de proie, il était si près qu'on pouvait voir le visage des passagers derrière les hublots. Sacha m'a dit :

— Purée, ils ont tous des masques.

Sacha et moi on n'avait jamais pris l'avion.

Une des ailes a piqué vers l'eau très lentement, comme si elle voulait ramasser des poissons sur son extrados, et alors toute la carcasse blanche et géante de l'avion a frappé l'eau. Ce n'était pas le bruit d'une explosion, plutôt celui que ferait un seau qu'on viderait sur le carrelage ou d'une feuille que l'on froisserait, un bruit ordinaire, et puis l'avion s'est enfoncé sous l'eau comme un oiseau qui irait pêcher dans le fond. J'ai suivi l'onde des yeux.

L'avion a ralenti, presque jusqu'à l'arrêt, puis le cockpit a plongé droit vers le fond de la fosse aux orques et on a vu le reste de l'appareil à sa suite filer dans l'eau profonde.

Tous ceux qui portaient des masques, dont on pouvait voir jusqu'à la couleur des chemises, ont disparu les uns après les autres vers le fond de la fosse, en regardant par les hublots, le bruit des réacteurs a cessé et puis tout a totalement disparu, on n'a plus entendu que le glouglou des remous de l'eau tourbillonnant à l'endroit de l'impact avec une petite traînée de kérosène à la surface qui reflétait les couleurs d'un arc-en-ciel.

Alors il n'y eut plus rien que le silence, plus d'oiseaux, plus de grues, plus rien que le silence qui a duré longtemps, si longtemps qu'on n'a plus jamais entendu parler de cet avion.

Lorsque nous sommes allés à la mairie avec Sacha et Ahmed pour nous renseigner, ils nous ont emmenés devant le chef d'un bureau qui nous a dit qu'ils n'avaient jamais entendu une histoire pareille, et qu'on ferait mieux de pas raconter n'importe quoi à n'importe qui si on voulait éviter d'avoir des problèmes, tant et si bien qu'aujourd'hui encore, quand on se croise avec Sacha et Ahmed et qu'on va marcher du côté de la fosse, on se demande comment on a pu tous les trois rêver ça.

LA PLUS BELLE FILLE DU MONDE

J'étais devenu l'ami de la plus belle fille du monde.

Je ne dis pas ça simplement parce que je la trouvais belle et j'ai conscience qu'il y a toujours une part de subjectivité dans le jugement de chacun, mais objectivement elle était considérée à cette époque comme la plus belle fille du monde.

Nous n'étions pas intimes mais nous étions amis tout de même et j'étais prêt à faire de nombreuses concessions, à l'écouter docilement, sans doute dans l'espoir d'avoir un jour des relations sexuelles avec elle et surtout que cela se sache rapidement.

Je m'étais convaincu que j'étais amoureux d'elle, peut-être l'étais-je même pour de bon. Pour des raisons qui m'échappent encore, elle refusait de prévoir le moindre rendez-vous avec

moi plus de dix minutes à l'avance et me préve-
nait à chaque fois au débotté.

Peut-être suivait-elle simplement son instinct
ou ses pulsions au moment où elles se présen-
taient?

Dès qu'elle m'appelait, je cessais toute autre
activité pour aller la retrouver.

— Allô, c'est moi.

Aussitôt je cherchais ma voix basse en me
raclant la gorge.

— Hey, mmh, comment vas-tu ma chérie?

— Ne m'appelle pas comme ça... Tu fais quoi
ce soir?... J'ai bien envie de te voir.

— Mmh mmmh rrrhm je passe te prendre en
bas de chez toi dans vingt minutes.

En règle générale, je traversais Paris et j'attendais une demi-heure en bas de chez elle,
je crois qu'elle me prenait pour un voyou ou
quelqu'un d'assez malhonnête parce qu'elle ne
m'avait jamais donné le code et qu'il fallait que
je patiente en bas avant qu'elle vienne me chercher pour me faire monter.

Arrivé chez elle je devais encore attendre une
demi-heure qu'elle se prépare, ce n'était pas si
grave, à l'époque je fumais énormément, j'avais
même renoncé à aller au cinéma et à prendre

l'avion afin de me consacrer à ma passion exclusive pour le tabac.

J'attendais, la tête encastrée dans le petit hublot de la cuisine, fumant cigarette après cigarette, essayant de ne pas faire tomber de cendres, et je la voyais arriver, vêtue d'un simple jean et d'un tee-shirt court avec le corps le plus incroyablement excitant que l'on puisse imaginer, et je comprenais alors que c'était vraiment la plus belle fille du monde et que toutes ces chicaneries, toutes ces petites humiliations un jour en vaudraient la peine.

— On y va ? disait-elle de sa voix d'écolière autoritaire.

Et on y allait, dans la Mini grise, à écouter un morceau à la radio qu'elle aimait et que j'aurais trouvé stupide en d'autres circonstances mais que je trouvais étourdissant à ses côtés.

La fenêtre ouverte, été comme hiver, à moitié ivre, fumant des cigarettes à pleins poumons, je l'écoutais raconter son avis sur la vraie nature humaine et son cœur sauvage et les gens vrais et les gens faux et le sort de la planète. Un discours assez plat et confus auquel j'adhérais totalement tant son parfum, la longueur de ses jambes, la peau chaude et ambrée que je devinais sous son pull-over me faisaient oublier tout mon esprit, d'habitude si critique.

Je ne ricanais plus, j'acquiesçais à tout.

— Tu vois le monde ce n'est pas l'argent, disait-elle, le monde c'est... les enfants, tu sais je me sens... comme... un oiseau en cage, *a bird in a cage*. Le monde c'est... enfin tu vois...

— Oui je vois, j'adhère à fond, j'adhère à fond, ouais tu peux compter sur moi.

Et je comprenais peu de chose à ses variations approximatives sur le dharma et le cycle des réincarnations que lui avait expliqué son coach de yoga et je voyais bien qu'elle n'était pas très sûre d'elle non plus.

La plupart du temps on sortait dîner, tous les deux, je m'imbibais méthodiquement, elle m'allumait toute la soirée et me laissait en plan lorsque je la ramenais en bas de chez elle.

Je tentais parfois sans grande conviction de monter.

— T'as pas faim, je mangerais bien un truc, t'as pas des œufs dans ton frigo ?

— On sort de table, je suis crevée, il y a un restau au coin de la rue, ils te feront sûrement un sandwich, bonne nuit.

— Bonne nuit, fais de beaux rêves.

J'attendais que la plus belle fille du monde ait disparu dans sa cage d'escalier, *a bird in a cage*, et je rentrais chez moi, le type le plus lâche du monde.

Un soir, à la suite d'un de ses appels, je quittai sur-le-champ le vidéoclub où ma femme m'avait envoyé rendre un film, pour la rejoindre au restaurant. J'arrivai un peu assoiffé et commandai aussitôt une vodka.

Elle me sourit et me dit l'œil rieur :

— Le problème, c'est que tu es alcoolique.

— Oui c'est vrai, ai-je répondu.

Je ne voulais jamais la contredire, parce que la plus belle fille du monde était extrêmement combative et qu'un rien l'énervait.

— Et en plus de ça tu es lâche car tu es toujours du même avis que moi.

— Mmmh, osai-je mollement.

— Et ton alcoolisme t'empêche de voir les vrais problèmes.

— Mmh.

— Quoi mmh ? Tu veux savoir ce que c'est ou tu t'en fous ?

— Non, oui je veux savoir, quels sont les vrais problèmes ?

— Les juifs.

— Les ju…ifs ?

— Oui les juifs, oui, j'ai lu que les juifs ont créé le capitalisme et le bolchevisme, qu'ils détruisent l'Afrique avec le sida, et qu'ils musellent la presse, les juifs quoi.

— Ah oui… les juifs, c'est sûr…, dis-je en serrant mon verre.

Je ne lui avais certainement pas dit que j'étais juif de père et de mère, parce que mes parents m'avaient appris à ne pas le crier sur les toits et que c'était de toute évidence une bonne stratégie.

J'essayai de changer de sujet :

— Et tu as été en Afrique récemment ?

— Tu changes de sujet, regarde en face les problèmes de ce monde, *Mein Kampf* ça c'est un livre ! Monsieur Hitler a été trop loin certes mais il avait raison sur bien des points, reconnais-le !

La plus belle femme du monde était une nazie, j'essayais de résister mais je pensais à sa culotte, à son sexe moite, à ses cuisses transpirantes et je restais amorphe en avalant coup sur coup trois verres de blanc.

Je finis le dîner dans une relative apathie, bottai en touche sur le nazisme et tentai de dire tout le bien que je pensais de Mussolini et Franco, plutôt protecteurs des juifs après tout.

Je la ramenai chez elle, m'attendant à recevoir une humiliation supplémentaire en la voyant claquer avec autorité la porte de la Mini et m'adresser un signe amical de la main.

Arrivés dans sa rue, alors que je me garais un instant pour lui dire au revoir, elle m'embrassa violemment, mit sa main sur mon sexe et com-

mença à me caresser puis à me chevaucher. Elle
me dit :

— Emmène-moi à l'hôtel maintenant, j'ai
envie de toi, maintenant, putain, j'ai tellement
envie de toi !

Le rêve que je faisais devant chaque étoile
filante depuis un an se réalisait enfin !

Un an que j'attendais ça, j'avais tout essayé, la
littérature, les poèmes, Strauss et Nina Simone
et voilà que ce soir après une soirée thématique
Leni Riefenstahl, j'avais enfin mon moment.

Je roulai à tombeau ouvert jusqu'à un hôtel
que j'estimais de son standing, pris une chambre
bien au-dessus du mien, l'allongeai sur le lit et
commençai à l'embrasser, la déshabiller, c'était
d'une beauté inespérée, comme un autodafé
dans une nuit berlinoise, froid et hurlant comme
l'amour et comme la mort.

— Tu la vois ma bouche ? me demanda-t-elle
alors qu'elle m'embrassait.

Seul un aveugle ne l'aurait pas vue !

Je m'allongeai. Elle s'assit sur mon visage, elle
s'essuyait sur mes lèvres, je sentais ses fluides
nazis ruisseler au fond de ma gorge, je n'enten-
dais plus rien, le visage entre ses longues cuisses
ambrées, je ne voyais que ses deux grandes dou-
dounes qui dansaient dans l'air sous le ventila-
teur.

On ne sait jamais comment une pensée s'installe en vous mais soudain cinq mille sept cents années de culpabilité juive me firent voir les choses sous un angle différent. J'étais un minable petit juif qui trompait sa femme avec qui il devait partir le lendemain en vacances pour baiser une beauté nazie dans une chambre bien trop chère pour lui.

Je pensai à mon téléphone éteint et aux trente messages angoissés de ma femme aux commissariats, aux urgences où mon nom devait déjà circuler ainsi que ma photo.

Je pensai à ma bassesse et à ces armées de bras dressés dans ces films de propagande du Reich.

Plus j'y pensais plus mon sexe rétrécissait et devenait celui d'un enfant, elle allait bientôt s'apercevoir que j'étais circoncis et tout serait perdu. Je me demandai d'ailleurs à cet instant précis où ma mère avait bien pu enterrer mon prépuce.

Je prétextai une envie de pisser, filai dans la salle de bains avec ma veste, m'emparai d'un Viagra 100 mg, dose pour tétraplégique — j'avais toujours une boîte dans ma poche en cas d'urgence. Je fis couler l'eau pour faire diversion. Par précaution je consultai la notice, j'allai directement aux effets secondaires. Rougeur, gonflement de la face, priapisme, palpitations, rash cutané, plus rarement œdème de Quincke, enfin

dans quelques rares cas ce médicament pouvait
entraîner la mort.

La mort me paraissait à dire vrai un effet
secondaire plutôt rédhibitoire, pourtant j'avalai
le cachet, peu rassuré, revins dans la chambre,
me servis une vodka à cinquante euros en regardant Paris désert, mort d'ennui, en attendant les
effets de ma drogue.

Les deux minutes que j'avais passées dans la
salle de bains avaient opéré une transformation
radicale chez ma camarade qui, suivant toujours
ses instincts, s'était entre-temps ravisée. Elle
déclara que nous avions sûrement fait fausse
route et qu'il valait mieux ne plus se revoir pour
l'instant !

Je la regardai se rhabiller et remettre son sou-
tien-gorge en sentant mon cœur taper dans mon
crâne, mes lèvres doubler de volume, ma bouche
s'assécher, mon sexe se durcir, les cent milli-
grammes de Viagra prêts à faire exploser ce qui
me restait de cerveau.

Je me sentais comme un ordinateur en sur-
chauffe.

Elle ouvrit la porte et s'engouffra dans le couloir avec son manteau sur l'épaule, je regardai
ses hanches splendides se balancer, je la sui-
vis jusqu'à l'accueil, en écartant les jambes. Je
payai la note les yeux exorbités par la drogue, la

bouche gonflée comme un hot-dog, et la ramenai en voiture.

Je ne mis pas de musique, comme je manquais d'air j'ouvris la fenêtre pour tenter de respirer.

Nous n'avons pas dit un mot sur le chemin, de temps à autre elle croisait mon regard dans le rétro, je baissais les yeux pour ne pas qu'elle voie que je la regardais haineusement.

Avant de me quitter elle me dit :

— Ça n'a pas l'air d'aller trop fort hein ? Ton visage, il est gonflé... on dirait... un pneu.

Elle me sourit et disparut dans le noir.

J'avais passé la nuit avec la plus belle fille du monde.

LES ACACIAS

Albert était venu dans la chambre de Jean-Pierre, c'était une pièce étroite, encombrée de toutes sortes d'objets : déambulateurs, autels bouddhistes, encensoirs, sacs plastique, graines pour oiseaux, paquets de céréales, bouteilles d'oxygène.

En se tordant le cou on pouvait voir les peupliers dans la cour de la résidence.

Jean-Pierre vivait là depuis deux ans, il avait eu un accident et devait depuis se déplacer en fauteuil.

On l'avait retrouvé un matin, allongé sur le carrelage de sa cuisine, dans le coma, sa famille au complet s'était réunie, chacun avait donné son avis selon les règles de la démocratie et il avait finalement été décidé qu'il fallait le débrancher et l'enterrer religieusement au cimetière de Bagneux dans la concession familiale. Les médecins s'étaient eux aussi réunis de leur côté et avaient estimé qu'on pouvait le laisser vivre encore un peu.

Depuis il ne recevait aucune visite de sa famille qui semblait furieuse d'avoir été ainsi déjugée.

Jean-Pierre était conscient que son existence était une vraie déception pour les siens, pourtant il lui semblait avoir aimé ses enfants autant que les autres, avoir fait tout ce qu'un père était censé faire pour eux, il les avait emmenés au parc le dimanche, les avait veillés les soirs de fièvre, leur avait appris à lire et même à nager en leur soutenant le menton hors de l'eau.

Il disait qu'il avait été riche autrefois, dans un pays étranger, et on devinait dans ses manières quelque chose des gentlemen à l'ancienne, une élégance disparue.

Il tenait toujours la porte aux femmes et laissait les autres sortir de l'ascenseur avant lui.

Il était plutôt petit, d'une maigreur ascétique, se tenait droit comme un légionnaire et ressemblait encore à un jeune homme malgré sa peau brûlée par le soleil.

Il détestait la résidence, ses thés dansants et tous ces vieux qui puent la mort, il avait piloté des planeurs, enlevé des femmes à leurs maris, des danseuses avaient voulu se jeter sous des trains par amour pour lui et voilà qu'il était dans un état de relégation, pire que la mort, avec tous ces vieux en couche, sans cheveux, sans famille, laissés là à leur sort minuscule.

Albert aussi détestait la résidence, il détestait Saint-Denis plus encore que la résidence et les hurlements dans le hall qui lui faisaient penser à la cour d'une prison. Il devenait sénile à cause de son foie et d'un «tout petit cancer» qui, prétendait-il, l'empêchait de réfléchir.

Il disait surtout n'importe quoi et tenait des propos incohérents à tous moments sur tout ce qui lui passait par la tête, ce qui plaisait à Jean-Pierre.

— Tu crois en Dieu? Pauvre Albert croit en Dieu souvent.

Et Jean-Pierre lui répondait :

— Dieu c'est un mot que l'on colle quand on ne comprend rien, si un ver de terre voit passer un avion à réaction il doit se dire que c'est Dieu, les poules pensent que c'est le coq qui fait se lever le soleil, les croyants appellent ça Dieu.

— Pauvre Albert croit en Dieu mais surtout au dieu des vers bien plus qu'au dieu des volailles, tu veux pas être enterré avec de l'antimite pour te protéger du dieu des vers?

— Ça m'est parfaitement égal, je veux être brûlé, je ne veux pas d'une pierre au-dessus de ma tête.

— Moi je pense que c'est très désagréable

d'être brûlé et puis très incommode pour la résurrection, c'est beaucoup plus compliqué de récupérer des cendres dans l'océan que de mettre un peu de gras sur un squelette.

Jean-Pierre saisit de son bras valide une télécommande qu'il agita en direction d'un coin de la pièce particulièrement encombré et la voix d'une chanteuse d'opéra s'éleva douloureusement de ce désordre.

— Chut, tais-toi, j'essaie d'écouter la Callas, il n'y a que ça qui me reste, cette voix c'est ce qu'il y a de plus proche de Dieu. Après tout, tu vois, je suis croyant moi aussi.

— C'est ça la Callas ? Il paraît que c'était un homme, je crois que je l'ai rencontrée une fois, eh bien ce n'était pas du tout un homme arrogant, pas au sens où on l'entend en tout cas, vraiment un brave type, maintenant je me souviens, ou peut-être était-ce Dalida ? Pauvre Albert, cette petite Négresse t'a fait perdre la tête, je la prenais par-derrière et elle se tortillait et c'était le paradis. À la fin de mes études de droit, Bordeaux était une ville très sale, les murs étaient noirs, mais je n'ai rien connu d'aussi bien.

Depuis que sa femme était morte, Albert ressassait une aventure sexuelle de quelques jours qu'il avait eue soixante ans plus tôt avec une

Antillaise, c'est tout ce qui restait de l'amour dans son cerveau à la mémoire fracassée, ça et quelques tirades du *Roi Lear*, il avait effacé le reste, une vie entière sur deux continents, sa femme, cinq enfants, des maisons, des clients, des voitures, des chiens qui finissaient par devenir fous et mordaient les mollets de leurs maîtres. Il avait tout oublié, il ne restait que des galipettes avec une femme dont il n'avait plus entendu parler depuis une éternité et qui devait attendre sagement quelque part que la mort ou la résurrection la libère, sans penser à lui.

Ils étaient là tous les deux, Jean-Pierre en exil d'un pays où il ne pourrait plus jamais retourner, Albert portant le deuil d'une famille dont il n'avait plus aucun souvenir.

Jean-Pierre regardait la télé en rangeant sa trousse de toilette et Albert assis sur le petit rebord chauffait ses pieds sur le radiateur en suivant des yeux les autres pensionnaires qui se promenaient dans la cour.

— Pauvre Albert se sent seul, regarde-moi ces grosses femmes, toi tu ne manges que des graines, il paraît que Callas chante très bien? Pauvre Albert est sourd et ça lui donne envie de pleurer.

— Cesse de te lamenter, je n'ai pas de pitié pour les vieux! Quoiqu'il semble bien que pleurnicher soit de ton âge après tout, le grand Chaplin lui-même a dû finir sa vie en sanglotant comme un bébé quand il s'apercevait qu'il n'arrivait plus à prononcer le nom de sa femme.

Jean-Pierre ravala sa salive, il regarda son ami, une expression douce traversa son visage, quelque chose qui ressemblait au début d'un sourire.

— Écoute-moi Albert, ça ne peut pas continuer comme ça, je ne peux plus bander, je ne peux plus conduire, je ne peux même plus aller aux chiottes tout seul. Il y a un lac derrière le bâtiment, c'est à quelques centaines de mètres pas plus, tu sais celui que l'on voit du chemin quand on va au potager? Le thé dansant vient à peine de commencer, il y a des animations et des ateliers rencontres, personne ne fera attention à nous. Si on se jette dedans on sera libres, tu comprends? Libres! Tous les deux, c'est aujourd'hui! Et si tu n'as pas envie et que tu crois encore que quelque chose de bon va t'arriver tu n'as qu'à me pousser et revenir attendre ici quelques années encore.

— Si c'est aujourd'hui que l'on part alors... C'est aujourd'hui que l'on part! C'est sûrement la citation de quelqu'un mais comme je n'ai plus de mémoire j'ai oublié de qui. Grimpe sur mon dos car tu es encore beaucoup plus vieux que moi à moins que cela aussi soit en train de changer et quittons ce trou pour un autre plus confortable.

Mais d'abord vérifions que nos braguettes sont fermées.

— Il y a mon fauteuil dans le placard, tu n'as qu'à m'aider à me mettre dessus et me pousser.

Jean-Pierre prit une de ses jambes, la posa sur l'autre, il accrocha ses bras au radiateur et fit traction, la chaise se déroba sous lui.

— Albert aide-moi je m'effondre !

Albert vint en boitillant et mit l'épaule de Jean-Pierre au-dessus de son cou, se retourna en soufflant, il ouvrit le placard, sortit le fauteuil roulant avec sa jambe et déposa Jean-Pierre qui semblait léger comme une plume.

Jean-Pierre enleva le frein, fit un demi-tour sur lui-même et quitta sa chambre poussé par son ami.

Ils traversèrent des halls vides où l'écho du même programme télé faisait résonner les répliques d'un feuilleton en stéréo ou en quadriphonie, alors que le soleil déclinait et que les couloirs s'assombrissaient.

Ils prirent l'ascenseur, le voyage pour le rez-de-chaussée était si long qu'il semblait les déposer directement sous terre.

Les portes s'ouvrirent sur la cour, ils dépassèrent la guérite du gardien qui ne s'y trouvait pas et se retrouvèrent dans la rue.

Des oiseaux s'élançaient d'un peuplier à un

autre, l'arrivée du printemps semblait imminente, la vie reprenait de toutes parts, un groupe d'adolescentes jouait dans la rue, l'une des jeunes filles était splendide, Jean-Pierre put regarder longuement son visage bleuté penché sur un écran.

Que n'ai-je su en profiter quand j'en avais l'occasion, pensa-t-il.

Ils passèrent une longue barre d'immeubles blancs et carrés, avec partout les mêmes antennes satellite dressées vers le ciel pour suivre le même programme.

C'est donc ici que tout finit, un peu avant le printemps, pensa Jean-Pierre, je ne verrai pas les cerisiers du Japon fleurir cette année. Dans quelques minutes, il n'y aura plus rien, l'électricité va simplement se couper comme on débrancherait une machine.

Ce serait sûrement un moment désagréable dans l'eau mais vu son état cela irait vite, il coulerait à pic.

— Tu penses à quoi ? dit Jean-Pierre. Tu te rends compte que dans dix minutes tout va s'arrêter ?

— Dix minutes, c'est quoi aux yeux du temps ? C'est court et c'est long. Pour le dieu des vers, c'est aussi long qu'une vie humaine.

En prononçant ces mots, Albert commençait à trembler.

Ils arrivèrent en vue de l'étang, l'eau paraissait sombre et profonde, des amoureux, des malades avaient dû y jeter des pièces et faire des vœux, il n'y avait personne à cette heure pour espérer quoi que ce soit.

Ils firent le tour de l'étang pour repérer les lieux.

— Aide-moi à descendre du fauteuil.

Albert souleva son ami par les aisselles et Jean-Pierre parvint à se tenir debout.

Les deux hommes restèrent un instant au bord de l'eau, l'un s'appuyant sur l'autre.

— Tu n'as pas changé d'avis?

— Je ne sais pas, je ne suis pas sûr d'être prêt tout compte fait, je ne suis pas si mal à la résidence, on me donne à manger et il y a un beau jardin, c'est un endroit comme un autre.

— Tu n'es pas sûr? Mais qu'est-ce que tu espères? Qu'on vienne te chercher pour te dire que tu vas avoir une foutue décoration? Ou que tu vas hériter d'un oncle de cent vingt-cinq ans? Il n'y a plus rien à espérer, nous sommes vieux et édentés, on pue, tu le sais que tu pues? Les autres vieux puent, tu te doutes bien que toi aussi non? Personnellement je trouve même que tu pues encore plus que les autres. Choisissons au moins ça, c'est tout ce qui nous reste. Viens on y va!

Jean-Pierre prit la main d'Albert.

Albert ne dit rien mais Jean-Pierre aperçut une lueur d'effroi dans ses yeux.

— Je suis content de faire ça avec toi.

Albert ne dit toujours rien et continua à se diriger vers l'eau, les deux hommes commencèrent à avancer dans la vase, de l'eau jusqu'aux chevilles.

— C'est moins froid que ça en a l'air, dit Jean-Pierre.

Albert restait toujours muet, on voyait qu'il avait froid, il grelottait et son visage était fermé.

Ils étaient maintenant à cinq mètres du bord et l'eau leur arrivait presque jusqu'à la taille. Avec la résistance, chaque mouvement devenait pénible et leurs quatre-vingts et quelques années leur paraissaient le double.

Ils continuèrent à avancer et il leur fallut longtemps pour arriver au milieu du lac et s'apercevoir que l'eau ne leur arrivait guère plus haut que la ceinture.

—Tu crois pas que c'est plus profond de l'autre côté?

— Mais non il n'y a aucune raison, c'est un étang artificiel pas un canyon, on n'y arrivera jamais comme ça, il n'y a pas assez d'eau, dit Jean-Pierre la voix tremblante de déception.

— C'est trop bête, dit Albert qui commençait à reprendre des couleurs.

Jean-Pierre sembla réfléchir puis il dit exalté :

— Il faut que tu me noies, tu m'entends, tu n'as qu'à me maintenir la tête sous l'eau, tu es prêt ?

— Mais je ne suis pas un assassin, je n'ai jamais tué personne de ma vie, même pas les araignées !

— Mais personne ne le saura.

— Moi je le saurai.

— C'est un service que je te demande, par amitié, tu as déjà fait quelque chose par amitié ? J'ai besoin d'aide, tu comprends ?

— Mais si on nous voyait, j'irais en prison.

— Tu es déjà en prison, je vais écrire un mot pour te disculper, tu as un stylo ?

— Non, je n'ai rien sur moi, je ne peux pas faire ça.

— Tu veux de l'argent ?

— Non, ça n'a rien à voir avec l'argent.

— Tu veux que je te supplie ? C'est ça ? Alors je te supplie, aide-moi, je ne te demande pas de me tuer, je te demande juste d'empêcher mon corps de remonter, je serai déjà mort, je n'ai aucun souffle, regarde comme je m'essouffle. Tu dois juste me tenir la tête. Comme on tient celle d'un bébé que l'on baigne. C'est pas très compliqué non ? Je compte sur toi, adieu.

Jean-Pierre se laissa tomber sur le ventre, et il y eut un grand silence.

Albert resta à côté de lui sans bouger en le regardant comme on regarderait une saleté à la surface, il vit des bulles s'échapper de l'endroit où se trouvait le visage, puis il regarda son corps se retourner lentement et le visage de Jean-Pierre réapparaître couvert de vase pour reprendre de l'air.

Jean-Pierre émit une plainte qui ressemblait aux pleurs d'un enfant. Albert s'approcha alors de son ami et l'aida à se relever.

Le soleil se couchait en même temps que la lune se levait, chacun regardait d'un côté de l'étang, la nuit était proche, il y avait encore du chemin à parcourir.

QUEL GENRE D'AMI FERAIT ÇA ?

tu es mort en laissant ton verre à dents et des traces de dentifrice et du courrier dans des pièces vides auquel il a bien fallu répondre.
quel genre d'ami ferait ça?

tu es mort en laissant ta teinture pour cheveux blancs et tes revues pornos tachées dans un placard, tu es mort sans penser à rien
en laissant des œufs se périmer dans le frigo
et fabriquer des salmonelles mortelles et c'est moi qui ai fait le sale boulot.
quel genre d'ami ferait ça?

tu es mort au milieu d'une matinée, en laissant cette stupide annonce comique de répondeur
sans même avoir tiré la chasse, drôle de signal à la postérité.

tu es mort sans la moindre prière, sans même avoir eu les résultats du championnat, en laissant un paquet d'ennemis de factures et de trucs en suspens.

tu es mort définitivement en laissant

des livres cornés et des chaussettes dépareillées, tu n'as prévenu personne et c'est encore moi qui m'y suis collé.

toi tu t'es juste levé, tu n'as rien fait et tu n'as pas vu le soir.

tu es mort avec une paire de boots aux pieds,

des boots en crocodile comme dans les westerns

et c'est bien la seule chose qui fait encore de toi mon ami, tiens ce soir je les porte, c'est un peu comme si je marchais dans l'au-delà.

quel dommage que tu aies eu des pieds si petits !

RESTER AU LIT

Elle descend l'allée, elle a dénoué son foulard et je vois ses beaux cheveux blancs aux reflets argentés, je la regarde venir avec crainte, elle traîne un chariot, un de ces vieux chariots qu'ont les ménagères, qui roule mal sur les pavés.

Elle s'approche et je vois ses yeux, des beaux yeux bleus délavés.

J'entends un bruit de fond, une simple note tenue et transparente. Peut-être est-ce le bruit de la chaudière ou de l'air dans les canalisations… Ou le ronronnement des appareils électriques dans la nuit ?

Je suis surmené en ce moment, j'enchaîne les heures et les jours de boulot. Personne ne respecte les conventions collectives, on est presque toujours en annexe 2, à la moitié du tarif.

Demain j'ai une journée de travail bien remplie, je dois partir à six heures pour aller chercher le camion et être sur le tournage à sept heures trente. Il y aura sûrement des heures sup.

Je n'arrive pas à dormir et je me sens affreusement coupable, je pense à cette femme que je n'ai pas laissée passer.

Je n'ai certainement pas traité mon prochain comme j'aurais dû.

J'ai cette voix souterraine et profonde qui me dit que mon existence est inutile.

Je paie des factures, je gagne juste assez d'argent pour les payer, tout cela est absurde.

Je vis au-dessus de mes forces, à crédit.

Je me retourne et je me demande à quoi je sers et ce pour quoi je suis fait au juste dans cet univers en expansion, si jamais je sers à quoi que ce soit. Il y a peut-être d'autres vies sur d'autres planètes, des créatures qui s'inquiètent et ne ferment pas les yeux quelque part dans une spirale de galaxies.

Quand je mourrai peut-être que je servirai d'engrais pour des plantes ou des fleurs mais pour l'instant je suis inutile et j'ai peur de la mort.

J'écoute les battements de mon cœur, on dirait qu'ils s'intensifient, qu'ils sont irréguliers, j'ai peur qu'il s'arrête. Je me retourne de l'autre côté pour qu'il ne soit plus en contact avec le matelas, cela me permet de l'entendre moins.

J'aime l'entendre un peu tout de même.

Je compte mes respirations, trois secondes d'inspiration, trois secondes d'apnée et puis j'expire pendant trois secondes, puis je recommence, tout est souffle.

Mon oreiller se réchauffe et je n'arrive toujours pas à dormir.

Je pourrais toujours penser à toutes les maladies auxquelles j'ai échappé jusque-là, c'est une chose réconfortante après tout, d'échapper à la mort.

Je retourne l'oreiller pour qu'il soit bien frais.

Le jour va se lever si ça continue, je vais être épuisé sur mon tournage et ce régisseur va encore m'aboyer dessus.

J'ai ce poids qui m'oppresse la poitrine et les épaules, je cherche mon souffle, on doit avoir ce genre de sentiment en marchant sur un glacier à 5 000 mètres d'altitude, mais je suis dans un lit, au niveau de la mer, peut-être même bien en dessous du niveau de la mer ?

48 degrés 51 minutes de latitude nord, 2 degrés 21 de longitude est, avenue de Clichy angle Berthier.

Un point sur la carte, comme des milliards d'autres.

Sarah dort à côté de moi, je vais pour me blottir près d'elle mais elle se recroqueville et grogne pour me signifier que je dois me tenir à distance.

Je m'approche tout de même et j'essaie d'épouser discrètement la forme de son corps avec le mien et de m'emboîter pour le restant de la nuit.

— Te colle pas.

— Qu'est-ce qu'il y a chérie?

— Te colle pas, c'est pas toi c'est juste… Je sais pas, te colle pas.

Je retourne dans mon coin, je me roule dans la couverture pour me protéger de la tristesse.

Je me retourne encore, je me sens anéanti. Quelle heure peut-il bien être? Je n'ose pas regarder le réveil mais j'entends son aiguille trotter. C'est étonnant que je ne l'aie pas entendue avant. Je n'entends plus que ça à présent.

Comment ça marche un réveil? Je ne sais même pas expliquer quelque chose d'aussi simple que ça. Je ne suis pas destiné à percer les secrets du monde.

J'ai essayé de lire des livres de science mais ça n'a rien donné, j'ai refermé le livre à la première équation, humilié. Je n'arrive même pas à résoudre des problèmes de sixième de mon fils.

Heureusement il ne me demande rien, il ne me répond même plus quand je lui parle, j'ai l'impression qu'il ne m'entend pas. Peut-être devient-il sourd? Ou qu'il ne me voit pas?

Peut-être suis-je en train de disparaître?

Je regarde mes mains, mais je ne vois rien.
Il fait noir.

Des phares balaient le mur de la chambre, cela
me rassure un peu.

Une voiture passe sur le boulevard dans un
bruit assourdissant, un bruit qui doit être de la
musique.

Puis le silence se fait à nouveau.

C'est un monde dangereux dehors, il se passe
partout des choses inquiétantes dans la nuit.

J'entends les poutres craquer dans la maison,
Sarah croit aux fantômes, à la vie des esprits,
avec elle tout devient magique. Moi je ne crois
qu'aux craquements dans le bois, à l'humidité qui
le fait gonfler et aux petits vers qui travaillent sa
résistance. Je crois que secrètement la pourriture
s'étend sur le monde et le travaille de l'intérieur.

Je pourrais prendre un somnifère, mais il
est trop tard et je serais vraiment dans le sirop
demain, et puis je ne sais pas où Sarah les a
cachés.

Je me tourne et me retourne. J'ai tant de tension et de nervosité en moi, j'essaie de ne pas
penser à mon cœur qui cogne dans ma poitrine,
je regarde Sarah.

Elle n'a jamais été aussi belle, tous ceux qui la
croisent me le disent.

Je ne suis presque jamais là en ce moment et
Dieu seul sait ce qu'elle fait et qui elle voit dans
la journée.

Je pourrais fouiller dans son téléphone ou
son agenda? Mais on finit toujours par trouver
quelque chose et je voudrais ne rien trouver.

J'allume la veilleuse.

Je prends l'ordinateur de ma femme.

Par curiosité je vais à l'historique, hier elle a
consulté une cinquantaine de photos de l'enterrement d'une célébrité, une vieille célébrité que
je ne connais que de nom, pauvre célébrité, paix
à son âme où qu'elle soit.

Elle a aussi consulté des vidéos de noyades
sur YouTube, cette jeune fille se noie, les gens ne
font rien et la filment et de la mousse blanche
finit par sortir de sa bouche et c'est épouvan-
table! Comment peut-elle dormir après avoir vu
quelque chose comme ça?

Ces images ont accentué en moi cette angoisse
souterraine qui ne me lâche pas depuis ce matin
et je pense encore à cette pauvre femme que je
n'ai pas laissée passer.

Quand on fait de la régie, il faut savoir bloquer
le passage pendant que l'équipe tourne.

On ne voit jamais aucune image mais on fait
partie de la famille du cinéma.

Tout le monde est sous pression, le régisseur me hurle dessus, «Tu vas me bloquer cette

allée, rigolo», l'assistant nous crève les tympans,
«Silence, moteur demandé, on tourne, silence sur
la terre! Silence à tous».

Le réalisateur aboie encore plus fort que tous
les autres et fait de grands gestes avec les bras,
il fume sans discontinuer et il hurle à la mort
qu'il soit content ou pas. Hier il m'a parlé pour
la première fois. «Hé toi! Sors du champ ou je te
fracasse le crâne.» Il ne connaît pas mon prénom.

Je continue ma recherche dans la mémoire de
l'ordinateur de ma femme, elle a été cinq fois
sur sexeviolent.com, je clique par curiosité, c'est
évidemment conforme au titre, on voit des jeunes
filles se faire pénétrer par des membres mons-
trueux et étrangler en même temps.

Je me sens inutile et un peu plus triste encore.

Je referme l'ordinateur, je me dis qu'on ne
connaît jamais vraiment complètement les gens
avec qui on vit.

Sarah dort à côté de moi dans le lit, elle est si
jolie, elle met toujours ses petits pieds au-dessus
de la couette et je l'imagine rêver à des horreurs.
Je pense qu'elle me sauverait de la noyade, mais
je ne peux plus en être sûr.

Je tire la couette vers moi pour me protéger
du froid.

— Putain, c'est pas possible, arrête de tirer sur
la couette, tu veux pas dormir, merde?

— Pardon bébé, je suis désolé, je voudrais bien dormir, mais j'arrive pas à fermer les yeux, tu vois?

Elle ne répond pas.

J'essaie de me tourner et de me retourner et d'avoir des pensées sexuelles mais rien n'y fait, mes jambes sont secouées de spasmes nerveux comme si j'avais bu des litres de vin blanc, pourtant je n'ai presque rien bu.

J'éteins la lumière et je me couche sur le ventre, je reste un long moment comme cela, mon corps appuie sur mon bras et je sens des fourmillements dans les mains. Je me redresse, je secoue mon bras, je pourrais aussi bien secouer le bras de quelqu'un d'autre, c'est une sensation effrayante de remuer ce bout de chair morte en attendant que le sang vienne l'irriguer à nouveau.

Pendant un court instant, ce bras sans vie relié à mon corps, je réalise, comme une évidence physique, qu'un jour je mourrai et que je ne reverrai plus ni ma femme ni mon fils et je suis pris d'un vertige comme si je plongeais en moi depuis l'espace.

Des pensées négatives m'assaillent de toutes parts.

J'ai beau me raccrocher au pouvoir du oui et aux livres sur le moment présent que Sarah m'a fait découvrir, je ne peux m'empêcher de penser que tout est foutu, irrémédiablement foutu, noir comme les ténèbres.

Je ne comprends rien au moment présent, je ne comprends rien au reste non plus, des types ont des prix Nobel partout sur la planète et je ne sais même pas comment marche un foutu réveille-matin. Je ne sers à rien, juste une bouche de plus à nourrir, j'ai toujours été médiocre en tout, médiocre en études, médiocre en amour, personne ne m'a jamais appris comment m'y prendre, ma mère s'est contentée de me dire que la masturbation était épuisante.

Aucune de mes partenaires ne s'est plainte directement de moi mais je suis presque sûr que toutes se sont toujours demandé pourquoi je cherchais à avoir des relations avec elles tout en manifestant si peu d'intérêt pour la chose.

Je me suis toujours senti un spécimen tout à fait commun d'humanité, ni laid ni beau, sans qualités particulières, tout le monde a peut-être quelque chose de spécial mais pas moi.

Moi, tout ce qu'il y a de spécial dans ma vie, c'est Sarah. Avec elle je me sens quelqu'un de bien.

Sarah aussi a une grosse journée demain, elle doit enregistrer la voix d'une pompe à essence, j'adore quand elle se penche sur son ordinateur et qu'elle parle de sa voix chaude.

«Insérez votre carte, c'est à vous maintenant,

servez-vous en sans-plomb 98, c'est à vous maintenant. »

J'ai toujours trouvé que sa voix était magni-
fique, il n'y a rien de plus érotique qu'une belle
voix chez une femme.

J'ai l'impression que je n'ai pas dormi depuis
quinze jours.

Je ne me sentirais pas plus fatigué, la nuit
après ma mort, à essayer d'ouvrir les paupières,
scellées par un embaumeur.

Il y a tellement de choses qui m'empêchent de
dormir, pourtant je me dis que je n'ai pas de raison de me plaindre, j'ai un toit sur la tête et nous
sommes en bonne santé, Sarah et moi, et notre vie
est plutôt douce. Partout les hommes souffrent,
aux quatre coins du globe! On torture des tas de
gens sur la planète! En Arabie saoudite on aurait
lapidé ma femme pour avoir été sur sexeviolent.
com. Je suis heureux qu'on ne lapide pas ma
femme, j'ai envie de la réveiller pour le lui dire.

Je pourrais écrire un mot sur Internet pour
partager mon bonheur, tout le monde fait ce
genre de choses, moi je ne sais même pas comment ça marche, je ne sais pas partager mon
bonheur ou quoi que ce soit d'autre et à quoi
bon être heureux si on ne peut pas le partager
avec les autres? On pourrait tout aussi bien ne
jamais avoir été heureux.

Ce matin Sarah m'a raconté qu'un homme avait arraché les yeux d'un autre devant un bar, comme ça sans raison. Cela se passait juste en bas de chez nous, à quelques rues, de l'autre côté du boulevard, là-bas, en banlieue proche.

Une enquête est en cours.

Je me demande dans quel genre de monde les hommes se font cela les uns aux autres.

Je suis si fébrile et triste que j'ai envie d'aller boire un verre.

— Chérie? Chérie? Tu dors?

— Il est quelle heure? J'ai soif.

— Tu veux une bière?

— De l'eau.

— Moi je vais me chercher une bière, je te prends de l'eau alors?

Pas de réponse... Je me lève.

— Chérie? Chérie? Je peux te parler?

— Mmmh.

— Je crois que je suis un peu déprimé... à ce qu'il paraît. J'ai fait un test sur l'Internet, tu sais, ils font plein de tests là-dedans eh bien... ça dit que je suis déprimé. Tu vois?... Tu dors?

Pas de réponse, je pars dans la cuisine.

Je cherche à allumer la lumière, je ne comprends toujours pas quel interrupteur commande quelle lumière alors je tâtonne comme d'habitude. Je cherche un verre et me trompe de placard comme d'habitude. Je remplis un verre avec l'eau du robinet, comment font-ils pour obtenir de l'eau potable? Je m'ouvre une bière avec un goulot de bouteille en plastique vide.

Je pose une tasse dans l'évier, je laisse couler l'eau sur ma main et je me concentre sur la sensation, le monde est tellement complexe, rien que cette expérience me paraît receler des milliers de secrets que je ne comprendrai jamais. Je regarde le ciel, il y a une étoile qui scintille et disparaît derrière les nuages.

Je plonge la main dans le garde-manger et j'en ressors un ourson fourré à la guimauve. Je retourne me coucher auprès de Sarah en mâchouillant cette friandise infecte.

Sarah s'est rendormie et je pense à cette voiture de location que j'ai laissée en panne sur un parking le week-end dernier.

— Sarah? Sarah?... Tu dors? Tu crois qu'il va se passer quoi pour cette voiture? Tu crois pas qu'ils vont me la facturer?

Elle ne me répond pas, je ressens un manque terrible, j'ai envie de serrer mes parents dans mes bras pour leur dire que je les aime.

Je cherche par réflexe un paquet de cigarettes

sur ma table de nuit, j'ai besoin d'aspirer de l'air chaud dans mes poumons, j'ai besoin de cette combustion puis je me souviens que j'ai arrêté de fumer il y a onze ans.

Un pigeon se met à roucouler, il vient de se réveiller et il roucoule horriblement au-dessus de mon balcon, c'est toujours la même note, le même son désespéré, je suis sûr qu'il roucoule de désespoir. J'ai déjà tout essayé pour le faire partir, les sifflets à ultrasons n'ont dérangé que moi, ni Sarah ni les pigeons ne semblaient les entendre. J'ai appelé SOS-Effarouchement, une société spécialisée dans l'éloignement des nuisibles, j'ai attendu des semaines un rendez-vous. Ils m'ont envoyé deux Colombiens illettrés qui me demandaient de leur lire des modes d'emploi et qui pour finir ont laissé des graines avec des somnifères sur la terrasse, des saloperies de graines empoisonnées que les pigeons n'ont jamais touchées.

J'ai envie de me lever et de lécher les graines qui sont encore sur la terrasse pour avoir enfin le droit de dormir.

Je regarde Sarah, elle ne m'appartient pas tout à fait lorsqu'elle dort. J'enrage de ne pouvoir la rencontrer quelque part dans le sommeil, là où elle se trouve, et je pense à cette pauvre femme que je n'ai pas voulu laisser passer hier et je suis mort de honte. Je pense à son regard épuisé. Et je pense à ce salopard de régisseur en chef.

«Bloque-moi cette putain d'allée ou va pointer à Pôle emploi, rigolo!»

La prochaine fois qu'il me traite de rigolo je ne sais pas ce que je serai capable de faire.

C'est la dernière fois que j'accepte de tourner dans un cimetière.

«Ne laisse passer personne, tu m'entends? Personne, quelles que soient les circonstances! Rigolo!»

Je vois cette petite dame qui avance le long de l'allée, elle n'est pas vraiment âgée, elle n'a pas de fleurs dans les mains.

Elle a de beaux cheveux argentés et des yeux bleu pâle d'une intense tristesse, la tristesse des gens âgés qui ont perdu leur enfant, une mélancolie qui s'est installée comme un linceul et qui ne repartira plus.

Elle remonte l'allée doucement et je vais à sa rencontre.

— Excusez-moi madame, vous ne pouvez pas prendre cette allée, il y a un tournage, la circulation est bloquée jusqu'à dix-sept heures.

Elle me regarde un instant, elle continue à

avancer vers moi sans rien dire, je lui répète avec autorité :

— Madame, c'est impossible, il y a un tournage de film, toute une équipe, s'il vous plaît, vous ne pouvez pas passer, il faut attendre.

Je l'entends murmurer entre ses dents d'une petite voix décidée.

— Je dois voir ma fille.

Elle continue à avancer, elle me dépasse à présent et je suis surpris par la rapidité de sa manœuvre, le talkie-walkie grésille et j'entends une voix haineuse et lointaine, qui hurle « Silence, moteur demandé ! ».

Je tente de l'attraper, ses bras sont fins et cassants comme des allumettes, ses jambes sont faibles et fragiles, c'est à peine croyable, dès que je pose la main sur son épaule, elle s'effondre au sol, lentement.

J'ai peur qu'elle se soit fait mal, je la relève, elle ne pèse rien, je pourrais la porter avec deux doigts. Je lui dis que je suis désolé et elle me regarde pendant quelques secondes. Je vois dans ses yeux qu'à cet instant, sa fille n'a jamais été aussi loin d'elle. Ce n'est pas seulement la tombe, le mystère de la mort et de l'au-delà qui les séparent, il y a une émanation du malin, un homme de taille moyenne avec une horrible doudoune et un talkie-walkie qui lui interdit le passage, un chien des enfers.

Je voudrais bien ajouter quelque chose, mais je ne trouve rien à dire, j'ai envie d'appeler le régisseur en chef mais je sais qu'il va hurler et que ça ne servira à rien, je vois cette petite dame qui se retourne et qui s'éloigne.

Elle marche d'un pas lent. Elle ne s'est pas lavé les cheveux et je vois son crâne blanc marbré de veines bleues, profondes comme des petites rivières. Il n'y a rien de plus désolant que la vieillesse vue de dos, perchée sur les épaules, murmurant à l'oreille la petite musique du découragement.

Empêcher cette pauvre femme d'aller prier sur une tombe, voilà ce que je fais dans la vie. Aujourd'hui, j'ai perdu ma part du monde à venir, je suis bon pour la géhenne! Je n'ai plus rien à perdre.

La poitrine de Sarah se soulève doucement et ses seins sont magnifiques. Je regarde ses paupières entrouvertes, ses yeux sont tellement grands et écartés qu'elle n'a pas suffisamment de peau pour les recouvrir intégralement et j'ai toujours l'impression qu'elle me voit du fond de son rêve.

Peut-être que moi aussi après tout je rêve les yeux ouverts.

Le matin va venir, j'ai sommeil. Je m'étire, je remonte la couverture au-dessus de mes épaules et pelotonne mes pieds à l'intérieur de la couette, il n'y a qu'un petit bout du nez qui dépasse comme un tuba pour prendre ce qu'il faut d'air.

Je suis si fatigué que je pleurniche de joie lorsque je sens que le sommeil vient enfin me chercher. J'écoute le bruit des réacteurs d'un avion qui semble tourner au-dessus de mon lit, chercher son chemin dans le ciel puis s'éloigner. La pluie cogne contre les vitres de la chambre, j'entends le moteur d'un camion-poubelle qui tourne au ralenti. Le réveil sonne.

Dans trente minutes, je serai dans le métro, dans la fournaise de la ligne 13, la puanteur, la mauvaise humeur. Je ne sais pas comment je vais faire pour traverser cette journée.

Je remonte la couverture, ce lit est le dernier rempart entre moi et le monde méchant. Je m'y sens protégé comme par les flancs d'un cuirassé dans une mer houleuse.

Mon cœur est là bien au chaud, sous ma veste de pyjama, il a tenu bon toute cette nuit encore.

Tu es un bon cœur.

Le réveil sonne.

Je crois bien qu'il faut y aller.

Sarah dort toujours, elle s'est cachée sous la couette pour étouffer la sonnerie du réveil et je ne vois que ses jambes.

J'entends le bruit des terrasses du Sporting, le café d'en bas, sur le boulevard, celui où les serveurs sont souvent désagréables, le bruit des chaises que l'on installe, je voudrais y aller avec Sarah et prendre un café noir et fumant et peut-être des toasts avec du beurre, c'est ce que je préfère au monde le pain trempé dans le café, je voudrais juste un petit déjeuner, parler un peu avec elle, que pour une fois elle n'aille pas travailler et moi non plus.

Je lui dirais «Prenons notre journée tu veux bien? Mon amour? Juste cette journée».

Elle me répondrait «D'accord mon chéri, une seconde, je vais les prévenir, je vais m'arranger, ne t'en fais pas. Que veux-tu faire au juste?».

«Rien, juste marcher un peu autour du lac et aller déjeuner et tu pourrais porter ta robe à pois rose, tu sais celle que j'aime tant?»

Le réveil sonne.

Je crois bien qu'il faut y aller.

LAZARE

Tu as rampé jusqu'à la portière, tu as essayé de l'ouvrir, rien, c'était la bagnole de qui déjà? Twingo, Punto, une autre? Rien, le trottoir est gelé rue de Rivoli, Sibérie-sur-Seine ce matin, à quelle heure le soleil se lève-t-il à cette saison? Tu croises des fêtards, plus rien n'est comme avant, même les fêtards ont l'air de barbares, plus de type ivre au bras d'une grognasse qui lâche un billet de cinquante et rachète ses crimes de l'année, rien que des bêtes sauvages qui hurlent quand elles voient un animal blessé. Tu as essayé la voiture verte, clic, la portière s'ouvre, c'est ton jour de chance, tu vois que tout peut s'arranger, je te l'ai toujours dit, une lueur au bout du couloir.

Il y a une odeur de pot-pourri, de bois de santal, de parfum de femme, tu la serrerais dans tes bras si tu l'avais en face de toi et tu t'es glissé, comme un serpent, directement sur la banquette arrière, tu t'es allongé en boule, coucouche panier et ô miracle, tous les saints réunis penchés sur ton berceau, il y avait un oreiller, un petit duvet de plume, Dieu existe, il est passé rue de Rivoli, il a laissé cet oreiller pour toi, pour que tu puisses poser ton cou et reposer ta tête cette nuit.

Tu t'es pelotonné sous ton manteau jaune, ton manteau trempé par la pluie d'un millier d'orages, qui pue le poisson, la pisse et le vomi. C'est un bon manteau et toutes les odeurs se valent. Tu as fermé les yeux, mis ta main sous ton ventre et laissé le petit côtes-de-provence faire valser les nuages par la vitre arrière.

S'il y avait eu des étoiles elles auraient dansé elles aussi.

Tu sens que ça travaille à l'intérieur, quelque chose qui grandit et circule, le ventre, les boyaux, tout est un peu détraqué. Il faut que tu restes aux aguets, à chaque pas que tu entends dans la rue tu as peur que la racaille vienne te déloger, maintenant ils foutent le feu aux gars, pour rien, pour se marrer, pour laisser exulter leur jeunesse, pour exprimer leur colère, faut les comprendre, c'est libérateur de cramer un homme, ça doit faire relativiser les soucis du quotidien et puis ça fait de la lumière dans toutes ces ténèbres, c'est joli un feu.

Tu entends des pas, ils sont plusieurs, ils parlent une langue que tu ne connais pas, étrangère, gutturale, comme des hurlements d'oiseaux affolés.

Ils s'arrêtent devant ta voiture, tu n'oses pas bouger, le moindre mouvement pourrait te faire repérer.

L'un d'eux parle français avec un accent.

— Tu viens pas avant midi OK ? Je suis crevé je veux dormir, là, sinon j'ouvre la porte et je te fracasse la tête avec une bouteille.

Tu entends des rires.

— Tu me poses à Argenteuil, deux euros quatre-vingt-dix le ticket c'est l'arnaque.

Les pas s'éloignent avec les rires.

Tu lèves la tête doucement, des formes disparaissent sous les arcades, ce n'était rien, ils étaient inoffensifs. Des voyageurs du petit matin, comme toi. Tu te rallonges.

Le soleil va venir, l'aube est rouge ce matin, de la couleur d'une flamme, elle colore le ciel.

Personne ne peut plus te brûler cette nuit, tu peux rêver et t'appuyer sur le ventre chaud de la banquette, et rêver à cette femme, cette sainte, qui doit poser son cul sur le siège avant. Tu entends des talons sur le trottoir et tu imagines son cul, la couverture qui remonte, son cul, tu disparais dans son cul, tu es invisible, les flics ne te voient plus, la canaille ne te voit pas, tu es invisible, il fait chaud, ferme les yeux, tout disparaît.

Il fait jour à présent, les oiseaux chantent, il faut être un oiseau complètement déréglé pour habiter rue de Rivoli, un oiseau sans instinct, sans aucun sens pratique, pour rester au milieu du bruit du trafic et de la sono sauvage des magasins de fringues. Si tu étais un oiseau tu volerais quelques centaines de mètres plus loin, tu irais à la campagne, au vert, là où il y a des arbres, ou en Suède, en Italie, il paraît que là-bas c'est joli. C'est important d'avoir un arbre quelque part.

Un moineau vient se poser sur le capot de la voiture, cela fait longtemps que tu n'as plus vu de moineaux, sa tête est secouée de soubresauts, il est tout pelé, on le croirait malade, irradié, si tu tendais la main, il viendrait sûrement mourir dessus.

Tu relèves la tête, tu passes ta langue sur tes dents, il y a une épaisse couche de bave et de tanin séché, tes dents te font mal, on dirait que certaines commencent même à rouiller.

Est-ce qu'on peut mourir d'une rage de dents ? Elles se déchaussent, abritent toutes sortes de parasites, tu peux savoir rien qu'aux dents depuis combien de temps un gars est à la rue, le plus dur est de le faire sourire.

L'oiseau s'envole, tu le suis du regard, il s'est posé sur la corniche de l'église, derrière tu vois le vitrail, pourpre et bleu, et puis l'amour du Christ pour toutes les petites créatures souffrantes, pour tout ce qui naît et meurt. Tu peux presque sentir sa présence dans le reflet du soleil sur la rose de la façade.

Les cloches se mettent à sonner, le moineau s'envole, mais toi, tu es cloué sur la banquette, comme Christ sur sa croix, une volée de cloches, la musique de métal de ton enfance, tu voudrais bien à nouveau chercher les œufs dans le jardin.

Tu voudrais bien à nouveau revenir dans la maison les pieds mouillés avec des lapins en chocolat plein les bras, encombré de rubans, de sphères d'aluminium de toutes les couleurs, fier comme un explorateur descendu des pôles, et voir ton père assis au fond du fauteuil en cuir écoutant Vivaldi, en remuant la tête, sans te voir, comme une promesse d'éternité.

Tu te lèves. Il y a sûrement des poubelles à fouiller, c'est fou ce que les gens jettent. C'est fou ce qu'ils laissent tomber sur leur chemin.

Il faut se fixer des objectifs pas trop compliqués, non, des objectifs raisonnables, pour ne pas être déçu quand la nuit va tomber.

Il fait gris, il fait froid, mais il ne pleut pas, tu frappes tes mains l'une contre l'autre pour faire circuler le sang, tu as perdu tes gants mais tu as des bandes de laine qui t'entourent les mains à la façon de mitaines, comme le font les boxeurs, tu n'as pas d'écharpe, mais un morceau de linge pour te protéger du vent et de la pluie.

Tu inspectes le ciel, il ne pleuvra sans doute pas aujourd'hui. Tu reconnais les nuages, ils sont stables. Des couches épaisses et continues, tu cherches une forme, un signe? Un visage? Il n'y a rien, un aplat gris continu qui avance lentement, un vaisseau interminable de grisaille.

Tu quittes la voiture de cette femme, tu lui as laissé ton odeur, tu as aussi pissé dedans, pas la force de te relever.

C'est comme ça que tu la remercies pour son hospitalité parfaite? C'est comme ça que tu remercies les saints que le Seigneur met sur ton passage?

Tu vis dans une époque de grands désordres, les traditions de ton enfance ont disparu.

Tu claques la portière, il y a un petit Christ sur sa croix qui se balance au rétroviseur de la voiture, *Iesus Nazarenus Rex Iudaeorum*.

Notre sauveur.

INRI. PMU. SNCF. RATP. Il y a des sigles partout, encore faut-il en déchiffrer le sens, mais toi tu sais interpréter les signes.

Tu t'approches de la station de métro du Louvre, les statues te suivent du regard. Tu jurerais même que l'une d'elles a levé le bras à ton passage. Un couple de vieux cinglés essaie de vendre la Bible King James en prévision de la fin du monde, mais qu'est-ce qu'ils y connaissent ? S'il y a bien un type prêt pour la fin du monde c'est toi. Cela fait longtemps que tu t'y prépares. Tu la vis tous les jours la fin du monde.

Tu te grattes, tout ton corps te gratte, il y a des poux qui dansent dans tes cheveux, des milliers de lentes qui naissent chaque jour dans la chaleur de tes pensées, des furoncles sous tes vêtements, tu portes la vie, partout sur toi, autour, la vie grouillante, trépidante, les voitures qui passent sur le boulevard, les gens qui te frôlent.

Tu fouilles dans tes poches et en sors deux balles pour t'acheter une bouteille de côtes-de-provence, le bon Billette, rosé de Provence, ton rosé préféré, vin de table. Ça déchire le ventre le rosé, tu as souvent la courante mais ça engourdit moins que le rouge et le blanc te rend fou. Le Paki te suit du regard dans les miroirs et les caméras, mais tu t'en tapes, ce bon vieux Billette va te mettre un coup de boost des familles et te permettre d'affronter avec sérénité la journée.

Il te dévisage un instant.

— Deux euros soixante.

Tu sors des pièces de tes poches, tu les poses sur le comptoir en fer, elles résonnent, tu les comptes et les sépares d'un doigt, tu déposes ce dont tu as besoin dans ta mitaine et tu les lui donnes. Il ne te regarde pas, tu prends Billette et le serres contre toi, tu t'accroches à son bras pour sortir.

Ce qui compte c'est d'être serein, c'est le monde présent, de savoir en profiter, toutes les philosophies du monde racontent ça, c'est ici et maintenant, même si ton présent à toi, aujourd'hui, ce sont les ténèbres.

Tu traverses la rue, un homme en jaune tend les bras en croix sur ton passage. Il est prêt à se faire écraser pour te protéger du trafic. Encore un saint qu'on a mis sur ton chemin. La sainteté est là partout dans la rue.

Comme l'ange te l'avait dit, il suffit de savoir regarder.

Tu voudrais l'embrasser, il ressemble à un gros poussin dans sa vareuse fluorescente, une maman poule, tu voudrais le remercier pour ce qu'il fait pour toi mais il te fixe d'un air haineux alors tu restes à distance.

Ils ont tous cet air-là, un masque de colère sur le visage. Époque de ténèbres.

Il y a une rage qui monte, cette ville est prête à exploser.

Derrière chaque fenêtre il y a des gens qui n'en peuvent plus, tu peux sentir leur haine. Tu regardes les vitres où le ciel gris se reflète, prêtes à éclater elles aussi.

La mort rôde partout.

Tu ressens la souffrance des hommes et des bêtes, toute cette souffrance, elle coule dans tes veines depuis que tu es tout petit. Ce bon Billette va l'apaiser.

Il y a des inscriptions sur le sol, elles sont apparues partout ces derniers temps, des mots tracés à la craie jaune et blanche, sûrement quelque chose qui annonce que l'on va nettoyer la ville.

Tu avances vers le métro, deux grues immenses, bleu et jaune, tendent leurs bras et t'indiquent le chemin du ciel.

Il y a des signes partout, pour celui qui veut bien voir.

Tu dépasses une jeune femme, elle laisse traîner son parfum, c'est un parfum si doux, si lointain, il pourrait te laver de toute cette saleté, de tous les péchés, tu repasses derrière elle et tu t'enivres de son parfum à nouveau, elle est au téléphone, vêtue d'une salopette et d'une paire de tennis, tu voudrais la suivre à jamais, mais elle bifurque et rentre dans un immeuble.

Tu es dans le métro, histoire de te réchauffer et de voir comment ça se passe là-dedans, tu n'as pas vraiment de projet, tu veux juste rester au chaud.

Tu vois un type acheter son ticket et le passer dans le portique, alors qu'il est cassé depuis mille ans.

C'est quoi ce type, un extraterrestre? Il sort du formol? Le genre de mec qui cherche encore le wagon de première dans le métro?

Des affiches immenses de destinations exotiques, des tour-operators promettent le paradis en quatre par trois, tout le monde promet le paradis à tout va, et si c'était pire ailleurs? Après?

Le quai est bondé, ce qui compte c'est d'être en mouvement alors tu montes dans le métro.

Il y a cette affiche avec un lapin, en transparence sur la vitre, la même depuis cinquante ans, tu pensais qu'elle n'existait plus mais elle est là encore, «Attention ne mets pas tes mains sur la porte, tu risques de te faire pincer très fort».

Tu fouilles le wagon des yeux, tu cherches le lapin et bien sûr il est là, il t'attend, un lapin géant, il est au fond du wagon avec des yeux qui te fixent, ces petits yeux noirs cerclés de rouge.

Un regard noir et furieux lui aussi.

Ça recommence, il faut que tu boives pour chasser le lapin, Billette, viens à moi, comme aux

premiers jours, Billette, souviens-toi des longues
nuits parfumées sous le porche.

Tu essaies de penser au cul de cette femme
pour ne pas penser au lapin. Tu plonges la tête
dans ton sac pour boire quelques gorgées, ce
n'est pas très discret mais qu'est-ce que ça peut
faire après tout, du moment que ce salaud de
lapin disparaît du wagon.

Tu lèves les yeux et il est encore là à pincer ses
petites lèvres mais au moins il ne te regarde plus,
il regarde le sol gris du métro.

Château-Rouge, il descend, il va se faire
dépouiller ce minable lapin blanc, ça te fait bien
marrer.

Ton ventre te fait mal à nouveau, c'est à cause
de cette merde que tu as bouffée l'autre jour sur
le parking, le rosé n'arrange rien.

Tu as des décharges électriques dans la
colonne et des coups d'aiguilles dans le ventre, tu
es aussi malade que le moineau du capot. Il faut
que tu trouves des toilettes, il faut faire vite. Tu
n'as plus de pantalon de rechange depuis bien
longtemps.

Bordel de merde tu sens que tu ne peux pas
te retenir.

Lorsque tu avais cinq ans, tes parents t'ont
abandonné dans un home pour enfants et ils sont
partis en vacances avec ton frère parce que tu
étais trop petit, tu es resté derrière la vitre toute

la journée à regarder les mouches voler en bouf-
fant les pâtes de fruits qu'on te donnait, pensant
que tes parents ne reviendraient jamais plus et
imaginant quelles en seraient les conséquences
pour toi.

Il y avait une mouche dans le double vitrage,
tu ne comprenais pas comment elle avait pu se
fourrer dans cette mauvaise situation, le Hou-
dini des mouches. Tu lui ressemblais. Coincé là-
dedans à vrombir toute la journée, en exil.

Lorsque tes parents sont venus te rechercher
au bout d'un mois, avec un bateau pirate, tu étais
si heureux que tu as fait sous toi et que ton père
t'a mis une beigne.

Tu sens que ça recommence, mais cette fois
personne ne te foutra de beigne.

Toute ta vie tu as gardé le goût de cet exil.

Ta voisine se recroqueville sur son strapontin,
c'est une Philippine ou une vahiné aux yeux irra-
diés de lumière, elle te regarde de ses prunelles
de feu, tu penses qu'elle sait ce qui t'arrive, tu
fouilles dans tes sacs.

Tu as bien quelque chose dans un de tes deux
gros sacs ? Tu trouves toutes sortes de papiers,
des prospectus de marabouts qui promettent
l'envoûtement de l'être aimé, des bidons d'eau,
des chiffons, des bouts de gâteaux, un journal de
science, *Les mystères de la physique*, tu peux être

sûr qu'il n'y a rien d'utile dans ce journal, rien que des formules dont on dira dans quelques années qu'elles étaient complètement fausses. Pour les Égyptiens le monde était une huître encerclée par de l'eau, aujourd'hui c'est la relativité. Et demain ?

Tu fais semblant de lire, tu te caches derrière ton journal et tes yeux vont de droite à gauche comme si tu grignotais un maïs, mais tu n'arrives pas à te concentrer. Tu lis les mots, mais ils n'ont aucun sens, tu essaies de te retenir mais ça coule de partout.

Tu voudrais descendre à la prochaine station mais la foule est si compacte qu'il te faudrait un miracle pour y arriver. Les gens sont agglutinés à la vitre.

Il y a tellement de monde qu'on n'arrive pas à voir le nom des stations, c'est une marée humaine, de têtes, d'épaules, un enchevêtrement de bras et de visages, d'os, de mâchoires. On dirait la reproduction d'un tableau de bataille, les Moabites contre les Philistins, les assaillants sont repoussés contre les murs de tôle du métro.

Tous ces peuples ont disparu, tous les autres disparaîtront, ainsi qu'il est écrit.

Que l'ange vienne à toi à nouveau et te donne la force de traverser.

Qu'il exauce tes prières et ne te laisse pas en

disgrâce à te vider les entrailles, cerné par des Philistins.

Le métro arrive dans la station, les publicités défilent à pleine vitesse puis ralentissent comme la roue d'un jeu télévisé.

Tu te lèves et tu avances vers la porte.

On dirait que tu marches sur l'eau, un miracle, la foule s'écarte sur ton passage, tu es comme un prince des pays chauds, un prophète adoré par son peuple, Lazare sorti du tombeau, les mains entourées de bandes et le visage couvert d'un linge.

RETOURNER À LA MER

Je suis assis au bord de la piscine, la lumière est écrasante, irradiante, il me semble qu'elle fait vibrer les arbres, les yeux me brûlent et la fatigue du voyage et de mon existence me pèse plus que jamais.

Pourquoi n'ai-je pas pensé à prendre mes lunettes polarisées ? J'oublie toujours ce dont j'ai le plus besoin.

Nous sommes arrivés la veille, par le train.

La gare est bondée, j'ai deux valises énormes pleines de vêtements sales et froissés et assez de livres pour plusieurs mois, je lis toujours plusieurs livres en même temps mais n'en finis presque jamais aucun, je n'arrive pas à me concentrer assez longtemps.

La voie n'est pas encore indiquée et la foule se masse sous le panneau d'affichage.

Un jeune Noir joue du piano dans le hall, ses

doigts s'envolent, il joue magnifiquement sur ce piano désaccordé, la tristesse de Chopin s'élève un instant puis s'évanouit dans la gare sans atteindre personne.

Dès que la voie est indiquée la foule se met rapidement en mouvement, vague sombre et menaçante, des petites femmes pressées sont devant, elles ont peur de rater leur train, elles passent en face de nous et je vois dans leurs yeux qu'elles pourraient marcher sur n'importe quel corps, qu'elles feraient n'importe quoi pour assurer leur survie, d'autres les suivent en marchant, dignement cette fois.

Je suis le mouvement de cette foule qui ondule, maman avance à mes côtés. Elle ne marche pas suffisamment vite à mon goût.

Elle me suit en traînant sa vieille valise informe qui ressemble à un animal qu'on mène à l'équarrissage.

Je vois cette petite silhouette, molle et trébuchante, et j'ai honte, à mon âge, de voyager avec elle.

Le contrôleur doit la trouver âgée car il l'aide à monter son bagage dans l'escalier pour atteindre le compartiment d'en haut, ce qui m'évite d'avoir à le faire.

Nous sommes assis l'un en face de l'autre, je suis dans le sens de la marche, ses petites jambes sont repliées sous elle pour ne pas me déranger, elle a un sac plastique avec de la nourriture et des vêtements qu'elle cale tout près d'elle.

Les paysages de banlieue défilent et elle s'endort presque aussitôt en face de moi, son visage bienveillant s'affaisse, sa bouche aux lèvres fines tremblote sous l'effet des vibrations du train ou de son rêve et elle se met à ronfler en émettant un petit sifflement aigu comme un animal encombré des bronches.

Il y a des places libres au fond, je décide de m'éloigner pour aller me reposer plus loin.

Cela fait si longtemps que je n'ai pas dormi.

Je m'assieds, toujours dans le sens de la marche.

De l'autre côté de l'allée, une jeune fille aux cheveux châtains lit un journal, elle n'est ni laide ni belle, elle a des taches de rousseur et une tête trop grosse pour son corps, mais ses seins se soulèvent sous son chemisier et je les regarde. Cela fait bien longtemps que je n'ai pas touché des seins. Je baisse mes manches pour ne pas qu'elle voie les pansements à mes poignets. Elle a une petite boîte à côté d'elle, je ne sais pas ce que c'est, un cube gris en acier, peut-être un animal de compagnie? Peut-être une urne funéraire?

Je regarde la jeune fille à plusieurs reprises, mais elle ne me rend pas mon regard.

Elle a l'air suisse, quelque chose de tatillon au fond des yeux.

Je m'endors sous l'effet d'un somnifère, mais je suis réveillé presque aussitôt par une annonce voyageurs indiquant qu'un agent d'ambiance va passer parmi nous pour nous divertir, nous jouer une petite saynète.

Ma mère en profite pour venir auprès de moi, je fais semblant de dormir pour éviter que ma voisine ne me voie avec elle. Un homme de quarante ans, seul avec sa vieille maman, ce n'est pas si grave mais je ne sais pas pourquoi, j'ai honte comme un écolier.

J'ai beau fermer les yeux, je sens sa présence et son souffle tiède au-dessus de moi.

Après de longues secondes j'entrouvre les paupières comme un mauvais acteur et je vois le visage de maman penché au-dessus du mien, l'air toujours bienveillant, ses oreilles sont démesurément grandes, semblables à des branchies. Si les humains devaient un jour retourner à la mer elle aurait plus de chances de survie que d'autres femmes de son âge.

— Ce que tu es beau mon chéri.

Elle sourit et cela m'exaspère.

Je plisse les yeux de dégoût et ne réponds rien.

— Je vais au bar, si tu veux que je te prenne un thé ou quelque chose à manger?

— Je dormais, prends-moi une bière alors.

—Tu ne préfères pas un thé? Tu ne vas pas boire de la bière à cette heure-ci non? Le médecin a dit que...

—Tu vas pas me faire chier pour une bière, merde, je dormais.

— Désolée mon chéri, mais tu n'es pas obligé de...

—Va te faire mettre! hurlé-je.

Puis j'ajoute d'une voix plus douce :

— Je vais y aller moi.

Désarçonnée par cette violence inattendue ma mère bredouille :

— Mais non j'y vais, repose-toi, tu n'as pas besoin de me parler comme ça, tu dois être épuisé, tu as besoin de sommeil, tu ne dors jamais, c'est pour ça que tu es irritable, c'est le professeur qui l'a dit!

Elle prononce ce mot de professeur avec cette musique si particulière, comme je l'ai toujours entendue le faire, un mélange de respect et de crainte, et sa servilité devant les titres et les honneurs me renvoie à mon état de relégation, et au seul titre que j'aurai jamais, celui de patient.

Le comédien engagé par la SNCF pour nous divertir nous prévient par une annonce au ton enjoué et ironique que son spectacle va bientôt commencer dans notre wagon, je me lève d'un bond pour éviter de voir cela.

Je fouille dans mes poches, cela donne l'air occupé, sachant très bien qu'elles sont vides, et je vais directement au siège où maman a laissé ses affaires. Je commence à inspecter rapidement son portefeuille comme j'en ai l'habitude. La jeune fille aux taches de rousseur me regarde à présent.

Je prends un billet de vingt euros, ramasse une poignée de pièces et me dirige vers le wagon-restaurant en baissant les yeux pour ne pas croiser les siens.

Je marche dans des wagons bruyants, traversés d'écrans où des enfants somnambules jouent à des jeux solitaires, leurs yeux pris au piège dans la lumière des ordinateurs.

J'arrive au restaurant, le sol est collant et sale, je fais la queue longtemps, tous les trains sont bondés en été, tout le monde veut manger à la même heure. Le serveur fait des jeux de mots qui ne font rire que lui et claironne sa bonne humeur plutôt que de nous servir rapidement. Avec certains de mes voisins, nous partageons le même agacement, et je sens bientôt une forme de sympathie s'installer entre nous.

Alors que c'est à mon tour de commander, je vois ma mère arriver dans le wagon, se faufiler et dépasser les autres clients d'un air légitimiste pour me rejoindre.

Elle vient jusqu'à moi et me demande de lui prendre un sandwich au poulet.

— Je croyais que tu étais végétarienne ?

— Je le suis mon chéri, je mange un peu de poulet de temps en temps, mais jamais de viande rouge tu le sais.

Je hausse les épaules.

Le serveur continue ses calembours et lorsqu'il me voit avec ma mère, je sens une certaine manière ricanante à mon égard dans son allure.

Il fait si chaud, mes chaussures collent sur le sol. Ma mère me regarde en souriant mais c'est un sourire un peu craintif.

Elle se frotte les mains l'une contre l'autre pour me montrer qu'elle se réjouit.

— Je veux bien la formule à douze euros avec le poulet pané, elle a l'air excellente ! Je meurs de faim mon chéri, pas toi ? Toi tu as pris quoi ? Tu ne manges jamais rien.

— Moi ça va mais tu devrais surveiller ton poids, tu as beaucoup grossi… Je m'en fous ! C'est pour toi !

Elle me sourit, semble hésiter un instant, malaxe ses doigts les uns contre les autres puis ajoute :

— Je n'y peux rien, je mange très peu mais tu sais à partir d'un certain âge, une femme connaît quelques dérèglements hormonaux.

— Ah oui ? On n'a jamais vu un obèse sortir

d'Auschwitz non? Tu es une patate parce que tu dois te réveiller la nuit pour bâfrer, ne te cherche pas d'excuses! ricané-je.

J'ai dû parler un peu fort car je sens que la sympathie de mes voisins à mon égard s'est déjà transformée en haine. Je demande un quart de vin blanc et deux bouteilles de bière, je n'en ai pas envie, mon baclofène me rend très désagréable le moindre contact avec l'alcool, mais je le fais, simplement pour la rendre malheureuse.

Au lieu de me réprimander, elle baisse les yeux d'une manière telle que je ne peux en voir la tristesse, elle doit sûrement se demander ce que je deviendrai lorsqu'elle ne sera plus là, je me demande la même chose.

Je la suis, jusqu'à notre wagon.

Ma mère s'assied et commence à déballer son plat, elle est si maladroite et se répand partout, chaque geste est effectué en dépit du bon sens, elle pose un emballage sur ses cuisses, une assiette sur la table, elle parvient à salir deux places en quelques secondes. Elle mange en regardant le paysage d'un air inspiré et des petites miettes se déposent autour de sa bouche. Par un processus mystérieux le contour de ses lèvres semble fait d'une matière adhésive qui retient les saletés.

Je lui montre ma bouche d'un air excédé mais

elle me regarde avec de grands yeux teintés d'incompréhension puis de douceur.

— Essuie-toi, tu t'en es encore mis partout. Je ne comprends pas comment tu fais !

Elle s'essuie, contrariée, et continue à mâchouiller son poulet pané sans faire de bruit.

La jeune fille qui n'est ni laide ni belle me regarde d'un air endormi, je n'y vois aucun signe d'encouragement, d'ailleurs il me semble qu'elle n'a aucune raison de m'encourager à quoi que ce soit.

Elle plonge à nouveau dans son journal en articulant à voix basse les mots, comme le font les enfants.

La boîte qu'elle tient à ses côtés ne fait aucun bruit depuis le début du voyage, c'est sûrement une urne funéraire.

Je ferme les yeux à nouveau et tente de m'endormir.

En gare d'Antibes je m'arrête un instant au kiosque pour acheter de l'eau, je regarde les couvertures des journaux, des nouveaux visages que je ne connais pas ont remplacé les anciens, oubliés de tous, personne ne les regrettera, les titres sont les mêmes.

Maman a commandé une voiture qui nous attend, la chaleur est accablante, tropicale, et il faut tout le temps qu'elle transpire, son dos large et trempé fait un bruit de ventouse lorsqu'elle se décolle de la banquette arrière du taxi pour indiquer l'adresse au chauffeur.

Elle suinte du visage, du front et des sourcils, son maquillage est balayé par cette sueur, son visage ressemble à une coulée de boue à présent, moi aussi je transpire du visage, certains jours mes yeux transpirent tellement que l'on croit que je pleure.

Le chauffeur est un Marseillais au visage sombre, il nous pose toutes sortes de questions et veut absolument synchroniser mon téléphone avec la hi-fi de sa voiture, il insiste mais je refuse, j'ai la certitude que c'est un piège pour me dérober quelque chose.

Il tient des propos racistes au débotté, injurie les Noirs, les Arabes, ma mère et moi ne disons rien, sa peau est si sombre dans le rétroviseur que j'ai l'impression qu'il est à la fois noir et arabe.

Maman tient son sac sur les genoux et se fait aussi petite que possible, elle me parle avec un accent emprunté, ce qu'elle imagine être un accent vieille France, essayant comme elle peut de dissimuler au chauffeur ses origines. Ainsi qu'on lui a appris à le faire depuis son enfance, elle parle de tout et de rien, essayant de meubler le silence de peur que le chauffeur ne finisse par s'en prendre aux siens.

Je ne l'écoute pas, je regarde le paysage.

Nous roulons une demi-heure sur la côte défigurée, échangeurs routiers, affiches de snacks en tous genres, réclames dégueulasses, murs tagués, noms, prénoms, obscénités usuelles. D'où vient ce besoin de tout détruire et tout salir? « La fougue de la jeunesse », paraît-il. Pavillons déjetés au bord des routes par des spéculateurs sans vergogne, chaussée défoncée de chaleur et d'ennui, surpopulation partout, baigneurs entassés les uns sur les autres sur les plages pour marquer leur petit territoire de cinquante centimètres carrés que le soleil brûle.

Le long de la côte, nous sommes pris dans les embouteillages. Sur le quai, des yachts qui ressemblent aux immeubles de la corniche, laids, mal conçus, surchargés, s'étiolent au soleil.

Nous gagnons enfin les hauteurs, ma mère continue à me parler.

— Regarde mon chéri, c'est si beau, ce doit être un tel calme d'habiter ici.

Je me contente de soupirer mais en moi je sais que je préférerais le calme de la tombe.

La gouvernante nous mène à travers les couloirs et je suis terriblement indisposé d'apprendre que nous sommes dans la même chambre, certes c'est une suite et nous dormons dans deux pièces différentes mais je dois partager les toilettes et la salle de bains avec ma mère, ce qui me semble d'une intimité insoutenable.

Un papier peint horrible s'étale sur le mur situé face à mon lit, une sorte d'enchevêtrement naïf d'oiseaux et de paons dans des tonalités vertes oppressantes. Je le fixe, je jurerais que quelque chose se déplace à l'intérieur, qu'il est animé d'une vie propre.

Je redescends à l'accueil, c'est un petit guichet en bois, avec des barreaux foncés et épais, une volière sombre, il n'y a personne, je me racle la gorge, j'appelle, quelqu'un?

Une petite dame anglaise arrive en trotti-nant, je supplie que l'on me trouve une autre chambre, c'est un malentendu, un scandale, mais elle m'explique que l'hôtel est complet depuis des mois et ce jusqu'à la fermeture annuelle en octobre, en cas de défection je suis sur une liste d'attente, on me le fera savoir.

Je rentre dans la suite, assis sur mon lit je vois maman qui défait ses affaires et les plie maladroi-tement pour les ranger dans le placard, comment est-il possible qu'elle ne sache pas plier une che-mise à son âge? Chaque vêtement finit posé sans logique sur une étagère, après un geste méca-nique. Elle sort une housse et installe à côté de son lit une petite bouteille d'oxygène reliée à un masque et à une machine dont elle a besoin pour dormir.

— Qu'as-tu à me regarder?

— Tu ne vas pas faire de bruit avec ce truc au moins? Je te préviens, j'ai le sommeil très léger, quand j'arrive à dormir.

— Oui je sais mon chéri.

Je vais dans la salle de bains et m'enferme à clé, je fais couler l'eau pour qu'elle ne puisse pas entendre les bruits et regarde longuement ma barbe dans le miroir.

Je contemple mon visage, moue ridicule, menton en avant, bouche serrée, censée m'embellir par l'effet d'un miracle, je fais attention à ma barbe, je peux la regarder longtemps, aussi longtemps qu'on regarde un feu ou la houle, ou tout spectacle à la fois mystérieusement identique et changeant.

J'ai beau me regarder longtemps, ce n'est pas par coquetterie, je ne tire aucune satisfaction de ce que je vois, j'analyse froidement les ressemblances avec ma mère qui affleurent partout, un peu plus chaque jour, ma barbe est à peu près la seule chose qui me rattache à mon père et à sa beauté, comme s'il ne s'était pas vraiment investi dans ma création, qu'il avait bâclé le travail.

Je sors de la salle de bains, ma mère est déjà partie, son respirateur gît auprès du lit comme un dentier sans propriétaire. Est-il possible de subir une dépressurisation avec cet appareillage?

Je regarde par la fenêtre et sors pieds nus sur le petit balcon en fer forgé.

Derrière la piscine, les roches sombres et glissantes me font penser à des corps enchevêtrés qui descendraient vers la mer, puis à une échelle rouillée, comme abandonnée là par quelque navire de guerre. Au-delà, la mer bleu sombre, rayée par le soleil.

Je regarde un instant les clients de l'hôtel réunis autour de la piscine juste au-dessous de mes fenêtres, je les écoute parler.

Une famille d'Anglais, le père, la mère et le fils sont élégants, longs, fins, avec des airs de propriétaires terriens, mais la fille a hérité d'un ancêtre plus rustique un physique plutôt déplaisant. Il y a aussi deux frères asiatiques qui se battent dans l'eau, l'aîné semble animé par une haine si puissante qu'il essaie en pleurant de noyer son jeune frère sans trop y parvenir, leur mère hurle depuis le bord.

Si j'avais eu un frère, lui aussi aurait un jour voulu me noyer.

Il y a enfin une Américaine qui flotte dans la piscine les yeux fermés, obèse et souriante, elle joue avec une petite fille à cache-cache, la petite fille est elle aussi en bonne voie vers l'obésité, sa mère répète sans s'arrêter :

— Marco ? avec l'accent du Texas.

Et la petite fille répond :

— Polo ! avec le même accent, pour qu'elle puisse la localiser.

— Marco ?

— Polo !

Je ferme la fenêtre et m'allonge sur le lit.

Je ferme les yeux pour faire disparaître le monde.

Lorsqu'il fait moins chaud, je descends à la piscine, j'hésite à me déshabiller mais finalement je garde mon tee-shirt car je me sens boudiné et blafard.

Je pose mon téléphone sur un matelas situé à l'opposé des autres clients de l'hôtel, j'enlève mon tee-shirt, et me plonge rapidement dans l'eau pour que l'on ne voie pas mes bourrelets. Le contact de l'eau fraîche et chlorée est immédiatement euphorisant, je plonge la tête sous la surface, plus d'image, plus de son, seul dans la dalle de béton recouverte de mosaïque, lavé de toute cette tristesse.

Je ne bouge pas, je touche le fond, il suffit d'un petit mouvement des jambes et des bras pour

revenir à la surface, respirer, s'agiter pour éviter
la mort.

Je me hisse rapidement hors de l'eau et m'en-
roule dans une serviette chauffée par le soleil
comme un serpent sur une pierre.

De nouveaux clients de l'hôtel ont remplacé
les anciens au bord de la piscine, il y a de jeunes
garçons grands et musclés aux petits yeux de
loups, des beaux adolescents qui font des sauts
périlleux dans l'eau et s'apostrophent en riant
bruyamment. Il y a aussi une famille, l'homme
est vieux, il a une sorte de patate en guise de nez,
autour de laquelle se tiennent très rapprochés
deux petits yeux et une bouche. Le reste de son
visage est un désert de chair olivâtre, l'ensemble
donne une sensation vague d'obscénité, un peu
comme si l'on regardait un derrière.

Sa femme ou sa fille, difficile à dire, est jolie, la
peau brune, élancée, bien plus jeune que lui, un
petit garçon est auprès d'eux, il a hérité du gros
nez de son père, il ressemble à sa mère pour le
reste, et puis il y a Nina, la jeune fille au pair qui
les accompagne, Nina a une vingtaine d'années,
des poignets fragiles comme du verre, un front
immense et bombé, à peine sortie de l'adoles-
cence, je regarde ses fines jambes de sauterelle,
ses minuscules fesses de danseuse, sa poitrine
de jeune garçon derrière mes lunettes noires en

pensant à toutes les positions, à toutes les façons possibles d'atteindre sa beauté. Elle me fait penser à un de ces modèles d'Egon Schiele, femme enfant, mal nourrie, égratignée, décharnée de beauté, si jeune et déjà âgée, je l'imagine se présentant dans mon atelier, si seulement j'avais su peindre, dessiner, je l'aurais peinte jusqu'à la cécité, j'aurais au moins pu être photographe, tout le monde peut être photographe.

Dans quelques années Nina s'effondrerait sûrement et deviendrait une ménagère empâtée se battant pour joindre les deux bouts entre son boulot et ses enfants.

Je vois maman arriver, elle descend les marches dans son horrible maillot de bain mauve, qui ressemble à une peau d'extraterrestre écorchée, son visage est tanné, d'une couleur brune, noirci par le soleil et les gènes sombres de ses ancêtres, son ventre fait une énorme protubérance, permanent témoignage de l'attentat qu'a dû être ma naissance pour son corps. Comment ai-je pu passer neuf mois dans ce ventre ? Quel inconfort ! Quel enfermement !

J'entends les petits aux yeux de loups se moquer depuis la piscine :

— Mate mate celle-là, on dirait qu'elle est enceinte !

— On n'arrête pas le progrès, en cloque à quatre-vingts piges maintenant!

Je les entends ricaner et j'ai envie de me jeter sur eux et de leur arracher le visage avec mes ongles.

Dès que ma mère me voit, elle me fait un signe de la main, un peu timide et irrésolu, comme si elle craignait qu'un signe trop volontaire me fasse disparaître. Il y a quelque chose dans son regard qui ressemble à de l'espoir retrouvé, comme ces enfants abandonnés dans des pouponnières qui voient enfin reparaître leurs parents.

Elle se plante devant moi avec son air béat et absent et cache la belle Nina qui se baigne dans la piscine.

Elle me regarde radieuse et je lis dans son regard la joie qu'elle a d'être avec moi.

Je ne saurai jamais pourquoi elle tire une telle fierté à l'idée de me rencontrer au milieu du monde, comme si le simple fait qu'elle ait accouché d'un être humain, si contrefait soit-il, plutôt que d'un animal était déjà un accomplissement.

— C'est merveilleux ici non? Je suis si contente d'être avec toi, tu m'as manqué, je t'ai manqué aussi? me dit-elle.

Elle regarde un arbre rabougri avec autant d'admiration que si elle avait vu un prophète marcher sur l'eau.

— Tu as vu comme c'est beau... cet arbre ? Tu lis quoi ?

— Rien.

Elle se retourne et malgré tous ses efforts, ses cheveux teintés d'encre noire sont dégarnis au sommet du crâne, je la trouve vieillie et j'ai soudain une peine immense pour elle, pour son gros ventre, pour sa calvitie et pour tout le mal que je lui ai fait et j'ai envie de sangloter sur moi, sur elle. Personne ne m'aimera jamais davantage dans l'univers que cette femme à qui je ressemble bien que je ne le veuille pas.

La belle Nina sort de l'eau et je me tords le cou pour me décaler et voir l'effet de l'eau sur son maillot de bain une pièce, elle se penche et j'aperçois comme un secret, la petite dune de ses seins comprimés sous le tissu beige de sa brassière, je peux presque sentir là où la transpiration se loge. Son odeur âcre et crue, de peau et de salive, l'odeur qu'elle aurait dans les draps froissés après une nuit d'amour sans doute décevante.

Je crois qu'elle me regarde, je tourne la tête et m'éloigne de maman, je fais semblant de parler au téléphone pour qu'elle ne puisse pas imaginer que je suis avec elle.

Je rentre dans ma chambre et me fais servir
à dîner face à mon lit, il me semble à nouveau
voir le papier peint bouger, je lui tourne le dos et
laisse ma mère manger seule au restaurant.

Avant de dormir je feuillette le journal, les
Belges ont autorisé l'euthanasie pour les mineurs,
et une adolescente s'est aussitôt engouffrée dans
la brèche et fait euthanasier parce qu'elle souf-
frait, disait l'article, de fatigue chronique et
extrême. Je me demande en m'endormant si cela
n'est pas devenu pour moi la définition même de
la vie, une fatigue chronique et extrême. Pourtant
tout me semblait si léger lorsque j'étais enfant
et la simple perspective d'une visite dans un
parc d'attractions pouvait me mettre en joie une
semaine entière. Où est donc passée toute cette
joie ? J'ai un instant l'envie d'en finir comme
cette jeune fille belge et cette chambre me paraît
parfaite pour une prochaine tentative de suicide,
laisser couler l'eau et me trancher les poignets
à nouveau ou avaler une boîte de médicaments,
mais c'est une science si incertaine, cela pourrait
très bien échouer comme le reste, et même si je
réussissais il y aurait tant de dérangements pour
tout le monde. Des réceptionnistes qui appel-
leraient les pompiers, la police et les médecins,
prendre en photographie le corps dans sa nudité,
nettoyer les saletés, trier les vêtements, remplir

la paperasse, l'avis d'un juge, autopsie ou pas, certificat de..., permis de...

Non décidément tout cela est bien trop dérangeant et bruyant, être le centre de l'attention aussi déplaisante de fonctionnaires qui verraient mon corps boudiné et sans vie, peut-être même riraient-ils de moi, feraient-ils des commentaires goguenards sur quelques traits physiques qu'ils jugeraient peu avantageux.

Et la tristesse de ma mère enfin, au milieu de tout ça, décoiffée, défaite, incohérente, sans défense.

Son chagrin ne me servirait que de linceul et la honte posthume de n'être regretté que par elle.

Non merci, il vaut mieux disparaître, retourner à la mer, s'évanouir.

L'art de la disparition, voilà la forme d'art suprême.

Je m'endors, sur ces pensées rassurantes.

Le lendemain nous partons pour Nice, je veux déjeuner à l'hôtel Beau-Rivage sur les traces de Scott Fitzgerald et maman souhaite visiter le Marineland pour voir les orques apprivoisées, pensant sûrement me faire plaisir.

Le taxi roule lentement en approchant du parking.

— Ça va être super, tu adorais les parcs d'attractions quand tu étais petit, et tu adorais les orques, tu disais toujours qu'ils étaient très vengeatifs, tu te souviens ? Vengeatif, c'est drôle non ? Tu te souviens ? Je suis contente d'être avec toi.

Et elle presse mon bras avec ses petits doigts boudinés.

Elle m'a raconté trois cents fois cette anecdote puérile et je me demande si elle fait exprès de la répéter à nouveau pour se venger de l'offense que je lui ai fait subir en venant au monde ou si elle devient chaque jour un peu plus sénile.

Nous passons une barrière de sécurité qui débouche sur un immense parking, plus grand qu'une ville, il y a là des milliers de voitures aux formes identiques et molles et aux noms plus ridicules les uns que les autres, Aventis, Yaris, Prius. On paie des gens des fortunes pour créer des néologismes imbéciles à consonances latines.

Le taxi nous dépose devant l'entrée.

Cela commence par un magasin où ils vendent toutes sortes d'articles devant lequel on nous oblige à passer en entrant et en sortant, afin de s'assurer que les enfants capricieux harcèleront leurs parents pour avoir une bouée requin ou une peluche lamantin.

Nous commençons la visite, des phoques s'ébrouent dans une piscine jaune, des enfants courent comme des dératés devant des éléphants de mer qui se terrent dans une grotte, des manchots grillent sous le soleil de la Méditerranée et un enfant commente :

— Ils ont l'air tristes les manchots non? Ils ont chaud.

Mais tout le monde vient pour voir les orques, l'animal le plus puissant de l'océan, le prédateur ultime.

Le spectacle est dans un quart d'heure et nous nous dirigeons vers le bassin numéro 1.

Devant le bassin, des panneaux en carton de grande taille enseignent aux visiteurs la vie sociale des orques. On peut y lire que «la caractéristique la plus insolite de l'espèce est la relation étroite que les mâles entretiennent avec leur mère. Si la mère meurt, le risque de mortalité de l'orque même adulte est multiplié par huit», nous indiquent-ils.

Je me demande un instant comment les scientifiques en sont arrivés à ce chiffre, et quel genre de multiples ils appliqueraient à mes chances de survie si ma mère venait à mourir, nos destins inextricablement liés, par le chagrin mystérieux de la vie, comme les orques, incapable de quitter le clan de ma génitrice malgré mon énorme taille.

«On a retrouvé du lait dans l'estomac de spécimens âgés de treize ans», écrivent-ils, je ne sais pas jusqu'à quel âge ma mère m'a donné le sein mais j'ai longtemps fait ce rêve d'une immense boule blanche, masse pâle et trouble qui s'approche de mon visage, lentement, inexorablement, jusqu'à me couper la respiration, jusqu'au silence de l'étouffement au milieu de tout ce blanc.

Nous pénétrons dans le bassin, c'est un amphithéâtre monté sur échafaudage en contrebas duquel se trouve une immense piscine bleu jean délavé reliée à des couloirs par où les monstres marins vont être amenés.

Les gradins se remplissent de monde et cinq malheureux animateurs, sans doute des intermittents sous-payés, dansent sur des musiques pop américaines, habillés en souris géantes ou en éléphanteaux pour que la foule ne voie pas la terreur sur leur visage.

Les spectateurs aussi dansent à leur manière en faisant des olas pour inviter les monstres marins à se montrer, ils tapent des mains à côté du rythme.

Au-dessus de nous, des avions traversent le ciel comme des missiles au ralenti.

Derrière les bassins il y a la route côtière surchargée, juste après la mer, la Méditerranée bleu foncé et les ferrys qui partent pour le Maghreb. Plus loin encore l'Afrique, les déserts où des nomades tournent en jeep à la recherche d'un Blanc à enlever. Je ferme les yeux pour ne pas voir ma mère faire la ola avec les autres, pensant que cette foule joyeuse et bon enfant aurait tout aussi bien pu être une populace peccamineuse de sans-culottes ultraviolents à une autre époque.

Lorsque les orques arrivent, le silence se fait. L'éternelle soumission devant la puissance. On voit deux immenses formes oblongues, deux ombres qui se dirigent des bassins intérieurs vers la piscine principale, traversent une petite écluse et se mettent à nager lentement dans le grand bassin. Lorsque les dresseurs arrivent, il y a un instant de suspension, la musique semble diminuer pour mieux reprendre et les dresseurs se mettent à faire de petits gestes, comme s'ils voulaient faire se dresser un caniche à un goûter d'anniversaire.

Les deux monstres pourraient broyer, déchiqueter, décapiter en un battement de dorsale les deux employés mais ils se mettent à sauter hors de l'eau lorsque les dresseurs le leur demandent, et même à jongler avec une grosse balle en plastique rouge.

Cela me paraît être un signe de la fin des temps, que des superprédateurs surintelligents, revenus à la mer il y a des millions d'années pour échapper aux dangers des météorites qui tombaient du ciel, finissent emprisonnés dans une minuscule piscine en béton, obligés jusqu'à la mort de faire des chorégraphies.

Décidément l'homme avilit tout, emprisonne et humilie des dauphins devant la mer, alcoolise les Indiens, exhibe des ours polaires par quarante degrés à l'ombre.

Je vois que ma mère a les yeux fermés, elle est tellement épuisée qu'elle a réussi à s'assoupir au milieu de ce vacarme étourdissant.

De profil, c'est presque une vieille dame. Pauvre petite maman qui attendra bientôt dans la tombe que je la rejoigne et j'ai à nouveau envie de la serrer dans mes bras et de m'excuser pour tout depuis le début, lui dire que c'était un malentendu et que je l'aime aussi, que ma colère n'était pas contre elle mais contre moi-même, qu'elle ne m'a pas donné le mode d'emploi et que j'ai été incapable de découvrir quoi que ce soit dans cette vie.

Je lui touche l'épaule et lorsqu'elle ouvre les yeux elle recouvre cette ardeur de petite fille combative et ce sourire soyeux et je me contente de lui demander de partir, j'ai faim et cette musique me fait mal au crâne.

Je traverse le magasin, je suis trop gros, blanc et transpirant, accompagné de ma vieille maman qui se retient pour ne pas me proposer de m'offrir une peluche.

Nous marchons sur le parking immense, il n'y a pas de taxi, je ressens un intense découragement.

Sous une chaleur accablante, nous partons déjeuner à l'hôtel Beau-Rivage, la terrasse est vide, un vieux couple s'ennuie sur la véranda ombragée tandis qu'une famille venue des pays arabes tyrannise le personnel. Nous déjeunons en silence sur cette terrasse déserte, je préfère encore le bruit de la musique d'ambiance à nos conversations.

Maman regarde la baie d'Antibes avec une émotion que je ne lui connais pas au fond du regard, comme un petit voile d'effroi derrière ses beaux yeux délavés, sa main presse légèrement mon bras.

— Qu'y a-t-il? dis-je, dérangé dans mes pensées.
— Rien mon chéri, rien.
— Si, dis-moi?
— Rien… J'aime tellement cette baie.
— Et alors?
— Lorsque j'étais petite, nous partions en bateau avec mon oncle et ma tante et l'on voyait souvent des dauphins… J'aime cette baie et je me dis que c'est la dernière fois que je la vois.
— Pourquoi tu dis ça? Je pourrais aussi bien dire la même chose. Peut-être que je vais mourir avant toi? Personne ne connaît l'avenir.

— Moi je connais mon avenir tu sais… Je ne comprends pas le monde d'aujourd'hui, je suis contente de le quitter bientôt et pourtant j'ai peur mon petit, c'est étrange non?

— Ne dis pas de sottises, tu peux bien vivre encore vingt ans.

— Je n'en ai aucune envie, mais ce paysage, tu sais mon petit, ce paysage, il me fait quelque chose, c'est tout.

Sur le front de mer des dizaines de grues à l'arrêt semblables à des géants tombés du ciel attendent l'heure précise de leur résurrection pour nous recouvrir de bruit, nous indiquant par là que notre temps est venu, que notre monde disparaît inexorablement tandis qu'ils travaillent au futur.

Par-delà les grues, je vois des bateaux filer au-dessus des milliers de mètres de fond.

J'ai envie de partir au loin, nager longtemps, disparaître en mer, sans laisser de traces, peut-être que si l'évolution nous en laissait le temps, nous pourrions ma mère et moi, nous aussi, retourner à la mer?

DU MÊME AUTEUR

Aux Éditions Gallimard

RETOURNER À LA MER, 2017 (Folio n° 6520). Prix Goncourt de la nouvelle.

COLLECTION FOLIO

Dernières parutions

Composition Dominique Guillaumin
Impression Novoprint
à Barcelone , le 7 novembre 2018
Dépôt légal : novembre 2018
1er dépôt légal dans la collection : avril 2018

ISBN 978-2-07-279320-2./Imprimé en Espagne.